Made in the USA
Las Vegas, NV
20 December 2023

83228090R00087

داستان های شاهنامه

(جلد سوم)

کیخسرو

داستان فرود، جنگ رستم با کاموس کشانی، اشکبوس و خاقان چین، داستان اکوانِ دیو، داستان بیژن و منیژه

نوشتهٔ میمنت میرصادقی (ذوالقدر)

تصویرگر: موریس گبری

Bahar Books

www.baharbooks.com

Mirsadeghi (Zolghadr), Meimanat
Stories of Shahnameh vol.3 (Persian/Farsi Edition)/ Meimanat Mirsadeghi (Zolghadr)

Illustrated By: Maurice Gabry

ISBN-10: 1-939099-64-1

ISBN-13: 978-1-939099-64-8

Published by Bahar Books, White Plains, New York

بزرگا! جاودان مردا! هُشیواری و دانایی
نه دیروزی که امروزی، نه امروزی که فردایی

همه دیروزِ ما از تو، همه امروزِ ما با تو
همه فردای ما در تو که بالایی و والایی ...

چو زینجا بنگرم، زان سوی دَه قرنت همی بینم
که می گویی و می رویی و می بالی و می آیی؛

به گردت شاعران انبوه و هریک قلّه ای بشکوه
تو اما در میان گویی دماوندی که تنهایی ...

پناهِ رستم و سیمرغ و افریدون و کیخسرو
دلیری، بخردی، رادی، توانایی و دانایی

اگر سهراب، اگر رستم، اگر اسفندیارِ یَل
به هیجا و هجوم هریکی شان صحنه آرایی ...

اگر خوزی، اگر رازی، اگر آتورپاتانیم
تویی آن کیمیای جان که در ترکیبِ اجزایی

طخارستان و خوارزم و خراسان و ری و گیلان
به یک پیکر همه عضویم و تو اندیشهٔ مایی

تو گویی قصه بهر کودک کُرد و بلوچ و لُر
گر از کاووس می گویی وراز سهراب فرمایی...

اگر در غارتِ غُزها وگر در فتنهٔ تاتار،
وگر در عصر تیمور و اگر در عهد این هایی،

هماره از تو گرم و روشنیم، ای پیرِ فرزانه!
اگر در صبحِ خرداد و اگر در شام یلدایی ...

بخشی از قصیدهٔ شفیعی کدکنی در ستایش فردوسی

فهرست

چند کلمه با شما

حقیقت این است که به نثر درآوردن آثار منظوم به همان اندازه به آن آسیب می رساند که ترجمه کردن آن از زبان اصلی به زبان های دیگر. چراکه در این کار - همچنانکه در ترجمه- کلامِ شاعر، موسیقی یعنی آنچه را که پیش و بیش از همه مایهٔ تشخص و تاثیر آن است، از دست می دهد و نظم و آرایش کلمات که حاصل دقت و مهارت شاعر در انتخاب و تنظیم آن هاست، یکسره در هم می ریزد و در دوباره نویسی آن حتی اگر همان کلمات شاعر هم به کار گرفته شود، آنچه به دست می آید ، به سختی می تواند همان تأثیری را القا کند که در کلام اصلی شاعر بوده است.

با اینهمه همچنان که در طول قرن ها، ملت ها از ترجمه کردن آثار شعریِ زبان های یکدیگر ناگزیر بوده اند و آن را وسیله ای مناسب برای دستیابی به شاهکارهای شعری دیگر زبان ها دیده اند، متن های منثوری هم که از شاهکارهای شعری ارزشمند و اغلب پرحجم گذشته فراهم می شود، می تواند راهی باشد برای دست یافتن به این آثار. به خصوص برای کسانی که توجه شان به شعر بیشتر جنبهٔ ذوقی دارد تا تحقیقی و زندگی پرمشغلهٔ امروز، مجال خواندن آثار مورد علاقه شان را ازآن ها گرفته است.

بی گمان توجه به همین نکته است که بسیاری از ادیبان و نویسندگان را برآن داشته تا بعضی از شاهکارهای شعری گذشته، از جمله شاهنامه را به نثر درآورند و هرکدام برحسب

ذوق و سلیقه و برداشت و دیدگاه خود، آن را بازنویسی کنند و در دسترس علاقمندان قرار دهند*.

فردوسی وزن مناسب، زبان ساده و در عین حال پرتحرک، لحن حَماسی، صحنه آرایی و فضاسازی درست و گفت و گوهای دقیق و به جا و به عبارت دیگر همهٔ مهارت های خود را در داستان پردازی به کار گرفته و این همه را با ذوق و هنر شاعری خود همراه کرده تا برای ما داستان هایی پر کشش و جذاب از نیاکان مان به جا بگذارد. در این برگردان سعی بر این بوده تا بیش از هر چیز هنر داستانسرایی او نمایانده شود؛ هنری که شاهنامه را ماندگار کرده و نام فردوسی را بر قلهٔ شعر فارسی نشانده است.

به همین دلیل برای حفظ خط اصلی روایت ها و برای اینکه در شرح سلسلهٔ وقایع، وقفه‌ای پیش نیاید، اندرزها و تمثیل های پندآمیزی که فردوسی به مناسبت،گاه از زبان خود و گاه از زبان دیگری نقل می کند، کنار گذاشته شد . بعضی از توصیف های طولانی از صف آرایی های سپاهیان و صحنه های جنگ که فردوسی آن ها را به تفصیل و با اِطنابی هنرمندانه بیان کرده نیز حذف شد. به این دلیل که آن توصیف ها تنها به زبان شعر گیرا و زیباست و در نثر نه تنها زیبایی خود را از دست می دهند، بلکه از سرعت نقل حوادث نیز می‌کاهند و خواننده را از توجه به آنچه در حال پیش آمدن است، باز می دارند. شرح دلاوری هایی که اغلب از زبان پهلوانان بیان می شود و بیشتر جنبهٔ تفاخر و رجزخوانی دارد، نیز کنارگذاشته شد. با اینهمه بعضی از آن ها -گاه به نثر و گاه به صورت اصلی- نقل شد. به خصوص در مواردی که به شناخت شخصیت و حالت های روحیِ گویندهٔ آن کمک می کرد. در بعضی از داستان ها، حوادثی که پیش از آن به تفصیل روایت شده، گاه از زبان یکی از شخصیت ها و گاه به صورت نامه و

---

* تا آنجا که اطلاع دارم دکتر زهرا خانلری، دکتر احسان یار شاطر ، دکتر سید محمد دبیرسیاقی ، دکتر جلال الدین کَزّازی، محمود کیانوش و ایرج گلسرخی تمام یا بخش هایی از شاهنامه را به صورت نثر منتشر کرده اند و این همه به جز کتاب هایی است که در چهار دههٔ اخیر با اقتباس از شاهنامه به صورت های گوناگون و در سطح های متفاوت به طور خاص برای کودکان و نوجوانان تهیه شده است.

پیغام برای دیگری بازگو می شود، این نوع بازگویی ها نیز چون به محتوای اصلی روایت چیزی نمی افزود، حذف شد.

هر جا که فردوسی منظور خود را در پوشش کنایه هایی گیرا و زیبا بیان کرده یا ضرب المثل ها و اصطلاحات زبان را به راحتی و سادگی درکلام حَماسی و باشکوه خودگنجانده است، صورت منظوم آن عیناً نقل شد تا خواننده گوشه ای از مهارت های زبانی او را دریابد. همچنین است مورد هایی که بیت یا مصراعی از شاهنامه به صورت ضرب المثل رواج یافته و جزیی از زبان فارسی شده است.

در موارد بسیار، کلام فردوسی چنان موجز و فشرده و در عین حال کامل و زیبا و رساست که درهم ریختن آن صورتِ یگانهٔ هنری، حرام کردن آن و گناهی نابخشودنی است. ترجیح داده شد که خواننده اینگونه بیت ها را که همچون دانه های انگور آبدار و شهدآمیزند، دست نخورده و به اصطلاح « درسته » در دهان بگذارد تا طعم واقعی کلام شاعر را بچشد و از آن لذت ببرد.

علاوه بر این ها در جای جای این برگردان بیت‌هایی از شاهنامه عیناً نقل شده است تا خواننده یکسره از هنر شاعری فردوسی بی خبر و بی بهره نماند و تا حدی با زبان و لحن و شیوهٔ توصیف و تصویرپردازی و در مجموع با فضای شعر او آشنا شود.

***

متن انتخابی برای این برگردان، شاهنامهٔ تصحیح آقای دکتر جلال خالقی مطلق است که در امریکا توسط "Bibliotheca Persica" و زیر نظر دکتر احسان یارشاطر و در ایران توسط مرکز دایرهٔ المعارف بزرگ اسلامی منتشر شده است.

لازم به یادآوری است که در این تصحیح، بسیاری از نام های اشخاص و جاها با شکلی متفاوت از آنچه معروف است، ضبط شده است. این شکل های متفاوت عینا حفظ شده اند و

برای آگاهی خوانندگان هرجا که برای اولین بار در متن آمده اند، شکل معمول و معروف تر آن ها در پرانتز ذکر شده است. مصحح محترم بخش هایی ازشاهنامه را الحاقی تشخیص داده اند و آن هارا به پانویس برده اند. از میان آن ها « داستان پیدایش آتش » با توجه به آنچه دکتر جلال خالقی مطلق در یاداشت های مربوط به مقالهٔ « معرفی قطعات الحاقی شاهنامه » در کتاب «گلِ رنج های کهن» نقل کرده اند، به متن افزوده شد. در موردهای بسیار نادر، نسخه بدل های بعضی از واژه ها یا بیت هایی که ایشان در پانویس ذکر کرده اند، ترجیح داده شده است.

برای معنی واژه هایی که در پانویس آمده، از «فرهنگ شاهنامه» چاپ فرهنگستان هنر و «واژه نامک» تالیف عبدالحسین نوشین، چاپ بنیاد فرهنگ ایران و همچنین «فرهنگ بزرگ سخن» چاپ انتشارات سخن، استفاده شده است.

***

اساس کار فردوسی شاهنامه ای بود به نثر که در سال **۳۴۶** قمری به همت یکی از سرداران دورهٔ سامانی به نام ابومنصور محمدبن عبدالرزاق و به یاری چهار موبد زردشتی فراهم آمده بود و به « شاهنامهٔ ابومنصوری »* شهرت داشت. فردوسی برای تکمیل کار خود، داستان های جداگانه ای را هم که از دوران جوانی به نظم در آورده بود و همچنین روایت های مکتوب یا شفاهی دیگری را که در جست و جوهای خود به آن ها دست یافته، به آن افزوده است.

بدین ترتیب آنچه فردوسی در شاهنامه به ما عرضه می کند، دقیقا شاهنامهٔ ابومنصوری نیست. بلکه برگزیده ای از روایت های مربوط به ایران پیش از اسلام است که او با حذف یا افزودن بعضی از شخصیت ها و داستان ها شکلی یکپارچه و منسجم به آن ها بخشیده است، تا

---

* ماخذ اصلی گردآورندگان شاهنامهٔ ابو منصوری، کتابی بود به نام « خداینامک » به معنی شاهنامه که در دورهٔ ساسانیان فراهم آمده بود و بخش عمدهٔ آن به تاریخ ساسانیان اختصاص داشت. گرد آورندگان، اجزای پراکنده ای از این کتاب را که تا دورهٔ سامانیان باقی مانده بود، ترجمه کردند و روایت های مکتوب و همچنین شفاهی موجود در آن دوره را به آن افزودند. از شاهنامهٔ ابو منصوری تنها مقدمهٔ آن به دست ما رسیده است.

شاهنامه به محتوا و ساختی مناسب برسد. در آنچه فردوسی فراهم آورده است، هم بازمانده هایی از اسطوره های هند و ایرانی، هم جای پای روایت های اسطوره ای و حماسی اوستا، هم سرودهای خنیاگران پیش از اسلام در شرح دلاوری های پادشاهان و پهلوانان افسانه ای و تاریخی و هم گزارشی از وقایع تاریخی برهه ای از تاریخ ایران را که با افسانه و اسطوره آمیخته است، می بینیم که با هنرمندی با هم تلفیق شده و اثری واحد به وجود آورده است.

شاهنامه را به سه بخش اساطیری (پیشدادیان) حماسی (کیانیان) و تاریخی (ساسانیان) تقسیم کرده اند. این بخش ها حد فاصل مشخصی ندارند. بلکه وقایع بخش اساطیری آرام آرام رنگ حماسی به خود می گیرند و در بخش تاریخی بعضی از حوادث با افسانه های حماسی می آمیزند. از آنجا که عنصر حماسه را در کلیه بخش های شاهنامه می توان دید، این کتاب را کلا اثری حماسی دانسته اند که اغلب شخصیت های آن اصل و منشاء اسطوره ای دارند و در آن گاه اشارات تاریخی نیز وجود دارد.

دربارۀ جلد سوم

جلد سوم داستان های شاهنامه ادامۀ بخش حماسی (کیانیان) است و سال های ابتدای پادشاهیِ کیخسرو پسر سیاوش را در بردارد. بیشتر این سال ها به جنگ های خونخواهی سیاوش می گذرد که به فرمان کیخسرو انجام می گیرد. در اولین مرحلۀ این جنگ طولانی و پرفراز و نشیب، ماجرای رویارویی سپاهیان ایران با فرود، برادر ناتنی کیخسرو، یکی از غم انگیزترین داستان های شاهنامه را به وجود می آورد. تاثیر بد این حادثه در روحیۀ سرداران و سپاهیان ایران، در حوادثی که در مراحل بعدیِ جنگ، بر ایرانیان می گذرد، خود را نشان می دهد.

در این جنگ گودرز سردار سالخوردهٔ ایرانی، بیش از شصت فرزند خود از جمله بهرام را از دست می دهد. بهرام دوست نزدیک و همراه سیاوش است و مرگ او هم از این جهت و هم از این رو که نه در میدان جنگی جوانمردانه بلکه در پیِ اقدام شجاعانه اش برای حفظ نام و حیثیت پهلوانی خود، پیش می آید، تشخص می یابد. تا آنجا که کیخسرو آن را « سهمگَنِ کارکردی» ، برای حفظ نام و ننگ، توصیف می کند.

در تعبیری دیگر، بهرام که تلاش هایش برای جلوگیری از وقوع فاجعهٔ فرود، ناموفق مانده است، با برگشتن بی موقع به میدان جنگ، « آگاهانه » خود را به کام مرگ می اندازد، تا تاوان گناهی را که ایرانیان و خاندان او کرده اند، بپردازد و از رنج عذاب گرانی که وجدان او را متلاطم کرده، رهایی یابد. *

در دورهٔ آرامشِ پس از جنگ اول ایران و توران است که فردوسی به داستان « اکوانِ دیو» و « بیژن و منیژه » می پردازد. این دو داستان را با توجه به بسیاری از ویژگی هایشان، از جمله داستان های مستقلی دانسته اند که فردوسی در دوران جوانی و پیش از آنکه به نظم کردن « شاهنامهٔ ابومنصوری » بپردازد، سروده و بعدها آن ها را در شاهنامه گنجانده است. داشتن خطبه (مقدمه) و خارج بودن از روال طبیعی داستان های پادشاهان و بی ارتباط بودنشان با مطالب قبلی و بعدی، این نظر را تأیید می کند. **

داستان « بیژن و منیژه » که طولانی ترین داستان عاشقانهٔ شاهنامه است، ماجرای عشق بیژن پسر گیو و نوهٔ دختری رستم است به منیژه دختر افراسیاب و با توجه به خصوصیات

---

* مهدی قریب، « سوکنامهٔ فرود و بهرام ، ادغام دو تراژدی در یک داستان » در کتاب سخنواره ، ص ۴۲۷- ۴۴۴

** محمد امین ریاحی ، فردوسی ، ص ۸۳ – ۸۵

بیانی آن به احتمال بسیار نخستین داستان مستقلی است که فردوسی آن را به نظم در آورده است. در مقدمهٔ این داستان که با توصیف شبی بسیار تاریک و دلگیر، آغاز می شود، فردوسی شرح می دهد که در شبی که در آن هیچ ستاره ای پیدا نیست، بی خواب مانده و از محبوب مهربان خود خواسته تا برای او بزمی فراهم آوَرَد. محبوب شاعر پس از فراهم آوردن آنچه او خواسته، همراه با نوای چنگ « داستان بیژن و منیژه » را از « دفتر پهلوی» می خوانَد و از او می خواهد که آن را به شعر فارسی در آورد. *

شادروان دکتر مهرداد بهار هنگام بحث در مورد تأثیر عناصر بیگانه بر اساطیر ایرانی، در داستان بیژن و منیژه، جای پای اسطورهٔ بابلی- آسوری ایشتر و تموز را می بیند. در آن اسطوره، ایشترکه الههٔ عشق است، به تموز که خدای برداشت محصول است، دل می بازد و چون تموز به عشق او پاسخ نمی دهد، بر او خشم می گیرد، تموز تباه می شود و به زیر زمین می رود. اما ایشتر که پشیمان شده، او را دوباره به زمین برمی گرداند. **

در « داستان بیژن و منیژه » است که نخستین بار در ادبیات فارسی از جام کیخسرو سخن به میان می آید و خصوصیات و خواص آن توصیف می شود. جام کیخسرو که بعدها بیشتر به جمشید نسبت داده شده و «جام جمشید » و « جام جم » و همچنین «جام جهان بین» یا «جام گیتی نما » نام گرفته است، جامی است که پیوسته با شراب همراه است و صورت تمامی برج های فلکی و سیارگان در آن نقش شده است و کیخسرو در ماه فروردین پس از انجام آیین هایی خاص، هفت کشور جهان را می تواند در آن ببیند. این جام اسطوره ای

---

* محمد جعفر محجوب ، « بیژن ومنیژه » در کتاب آفرین فردوسی : ص ۱۷۵-۱۹۴

** مهرداد بهار ، « دربارهٔ اساطیر ایران » در کتاب جستاری در فرهنگ ایران ، ص ۵۹-۶۶

بعدها در ادبیات عرفانی، معنی مجازی پیدا کرده و آن را به دل پاک و باطن آینه وار عارف تعبیر کرده اند که تجلی گاهِ جمال معشوق ازلی و ابدی است.*

منابع:

بهار ، مهرداد. « دربارهٔ اساطیر ایران » . در کتاب جستاری در فرهنگ ایران. ویراست جدید به کوشش ابوالقاسم اسمعیل پور ، تهران : نشر اسطوره ، ۱۳۸۶.

خالقی مطلق ، جلال : « معرفی قطعات الحاقی شاهنامه » . در کتاب گل رنج های کهن (برگزیدهٔ مقالات دربارهٔ شاهنامهٔ فردوسی) به کوشش علی دهباشی ، تهران : نشرمرکز ، ۱۳۷۲.

ریاحی ، محمد امین : فردوسی : تهران ، طرح نو ، ۱۳۷۵. (بنیانگذاران فرهنگ امروز ، ویژهٔ فرهنگ ایران و اسلام)

قریب ، مهدی : سوکنامهٔ فرود و بهرام ؛ ادغام دو تراژدی در یک داستان . در کتابِ سخنواره ؛ پنجاه و پنج گفتار پژوهشی به یاد دکتر پرویز ناتل خانلری ، به کوشش ایرج افشار ، تهران : توس ، ۱۳۷۶.

محجوب ، محمد جعفر : « بیژن و منیژه » . در کتابِ آفرین فردوسی ، تهران : مروارید ، ۱۳۷۱.

یاحقی ، محمد جعفر : فرهنگ اساطیر و داستانواره ها در ادبیات فارسی . تهران : فرهنگ معاصر ، ۱۳۸۶.

---

* محمد جعفر یاحقی: فرهنگ اساطیر و داستانواره ها در ادبیات فارسی ، ذیل جام جم .

پادشاهی کیخسرو

پادشاهی کیخسرو شصت سال بود. هنگامی که او بر تخت نشست، کوشید تا ویرانی ها را آباد و دل ها را از غم آزاد کند. در دوران پادشاهی او جهان آرام یافت و دست های اهریمنی از کار باز ماندند. رستم همینکه خبر پادشاه شدن کیخسرو را شنید، همراه با پدرش زال و پسرش فرامرز و بسیاری از بزرگان کاوُل (کابل) به بارگاه او شتافت. به دستور کیخسرو بزرگان و پهلوانان ایران به پذیرهٔ[1] آن ها رفتند و همگی را به بارگاه کیخسرو بردند، پادشاه جوان و مهمانان یکدیگر را در آغوش گرفتند و با یاد سیاوُش گریستند. کیخسرو، رستم را که پروردگارِ[2] سیاوُش بود، ستود. رستم نیز که فر و شکوه سیاوش را در کیخسرو می دید، او را ستایش بسیار کرد. آنگاه تا نیمه شب به میگساری نشستند و کیخسرو از آنچه بر او گذشته بود، سخن ها گفت.

چند روز پس از آن، کیخسرو همراه با رستم و گیو و گودرز کَشوادگان به سرتاسر ایران سفر کرد. هنگامی که به آذرابادگان[3] رسیدند. برای ستایش و سپاس از آفریدگار به آتشکدهٔ آذرگشسب رفتند و از آنجا برای دیدار کیکاوس روانه شدند.

---

۱. پذیره: پیشواز

۲. پروردگار: پرورش دهنده، تربیت کننده

۳. آذرابادگان: آذربایجان

کاوس در جمع بزرگان و پهلوانان، از افراسیاب و آنچه او با سیاوش کرده بود و از کشتارها و ویرانگری های او سخن گفت و از کیخسرو خواست که به خویشاوندیِ خود با افراسیاب نیندیشد و برای گرفتن کین سیاوش، به جنگ او برود و اگر افراسیاب بخواهد او را با تخت و تاج و پادشاهی فریب دهد، از تصمیم خود برنگردد و آتش کینه را خاموش نکند و برای این کار سوگند یاد کند. کیخسرو آن چنانکه او خواسته بود، به آفریدگار و به روز و به شب، به خورشید و شمشیر و به تخت و تاج، سوگند خورد، سوگندنامه ای نوشت که زال و رستم و بزرگان لشکر آن را گواهی کردند. کیخسرو سوگندنامه را به دست رستم سپرد.

بزرگان یک هفته مهمان کیکاوس بودند. روز هشتم کیخسرو به تنهایی به نیایش پروردگار نشست و از او برای پیروزی بر افراسیاب، یاری خواست. آنگاه نزد بزرگان ایران برگشت و به آن ها گفت که از افراسیاب بر ایرانیان ستم های بسیار رسیده، کیخسرو خود نیز از او رنج فراوان دیده است. و اگر آن ها در این جنگ، با او همداستان باشند [1]، کین پدر را از افراسیاب خواهدگرفت و بدی هایش را از ایران دور خواهد کرد. بزرگان ایران همگی برای جنگیدن با افراسیاب، با کیخسرو پیمان بستند.

چندی بعد کیخسرو موبدان و روزی دهان [2] را خواست. موبد نام یک یک پهلوانان را و شمار جنگجویانی را که به هریک وابسته بودند و همچنین نام فرماندهان آن ها را در دفتری نوشت. بدینگونه سیاهه ای از مردان جنگی فراهم آمد. آنگاه کیخسرو دستور داد تا همهٔ پهلوانان، مردان خود را به بیرون شهر ببرند. به فرمان او گلهٔ اسب ها را به آنجا بردند تا آن ها اسب هایی

---

۱. همداستان بودن: هم رای و موافق بودن

۲. روزی دهان : کسانی که کار پرداخت دستمزد سپاهیان را بر عهده دارند

را که نیاز داشتند، برگزینند و با کمند بگیرند. کیخسرو پس از آن پهلوانان را در بارگاه خود گرد آورد و دستور داد تا جامه ها وگوهرهای بسیار پیش او آوردند و آن ها را برای کشتن بِلاشان (پِلاشان)، که نگهبان افراسیاب بود و به دست آوردن تاج گرانبهای یکی از سرداران او به نام تژاو (تزاو) و همچنین اِسپنوی، کنیزک تژاو که زنی زیبا وخوش آواز بود، تعیین کرد. بیژن پسر گیو پیش رفت و از کیخسرو خواست که این کارها را به او بسپارد. پس ازآن برای کشتن تژاو و همچنین آتش زدن کوهی از هیزم که به دستور افراسیاب برای بستن راه سپاه ایران، در کاس رود گِردآورده بودند، هدیه هایی مشخص کرد. گیو پذیرفت که آن کار را انجام دهد. کیخسرو همچنین هدیه های بسیار برای کسی تعیین کرد که پیغام او را برای افراسیاب ببرد و پاسخ او را بیاورد. گرگینِ میلاد بی درنگ برای آن کار داوطلب شد.

صبح روز بعد، هنگامی که کوه از نور خورشید به رنگ سَندَروس[1] در آمد و از هر سو خروش خروسان برخاست، رستم همراه با زواره و فرامرز به دیدار کیخسرو رفتند. رستم به کیخسرو گفت :

« درسیستان شهری است که پیش از آن، منوچهر آن را از تورانیان باز پس گرفته بود، اما از زمانی که کاوس پیر و ناتوان شده، افراسیاب ازآنجا باژ و ساو[2] می گیرد. آنجا شهری بزرگ و ثروتمند است. باید سپاهی فراهم شود و به سرکردگی پهلوانی بزرگ به آنجا برود تا آنها را وادارد که یا به فرمان پادشاه ایران دربیایند، یا به ایران خراج بپردازند. »

---

۱. سَندَروس : صمغی زرد رنگ که از نوعی سروکوهی می گیرند ؛ نماد زردی است.

۲. باژ و ساو: باج و خراج

و افزود که اگر ایرانیان آن شهر را به دست بیاورند، پیروزی بر توران آسان خواهد بود. کیخسرو سخنان رستم را پسندید و به او گفت که سپاهی بزرگ فراهم آوَرَد تا فرامرز برای این کار به آنجا برود، زیرا این کار تنها از دست فرامرز بر می آید.

برگذشتن لشکر ایران از برابر کیخسرو

فردای آن روز به دستور کیخسرو سپاهیان به بیرون شهر رفتند. پادشاه جوان، باشکوه بسیار بر پشت پیلی بر تختی از فیروزه نشست، به میان سپاهیان رفت و زنگی را که ویژهٔ خبردادن از آغاز جنگ است، به صدا در آورد.

ز دریای ارمیده[1] برخاست موج	سپاه اندرآمد همی فوج فوج

پهلوانان همراه با سوارانشان، با درفش های رنگارنگی که هرکدام نقش ویژهٔ خاندان آن ها را برخود داشت، از برابر کیخسرو گذشتند.

آخرین سردار، فرامرز پسر رستم بود که با سپاهی بزرگ از کاول (کابل) و نیمروز و درفشی که همانند درفش رستم، نقش اژدها داشت، از برابر او گذشت. کیخسرو او را دعا کرد و پند داد که پیوسته یار و یاور تهیدستان باشد و با کسانی که با او سر جنگ ندارند، نجنگد. فرامرز از اسب پیاده شد. در برابر کیخسرو سر خم کرد و زمین را بوسید و از همانجا با سپاه خود به طرف سیستان به راه افتاد. رستم دو فرسنگ با او همراه شد. سپس نزد کیخسرو به لشکرگاه برگشت.

شب هنگام کیخسرو با رستم به میگساری نشست. و به او گفت که فردا فرمان حرکت سپاه ایران را خواهد داد:

ببینیم تا دست، گردان سپهر	برین جنگ سوی که آرد به مهر

---

۱. ۲. ارمیده: آرمیده ؛ آرام

داستان فرود پسر سیاوَخش

صبحگاه، هنگامی که خورشید بر شیب تند کوه نشست و جهان یکسره به رنگ شراب زرد درآمد، غریو طبل و کوس از بارگاه طوس برخاست. طوس در پیشاپیش، مردان خاندان نوذر و سواران گودرز در دو سوی سپاه به طرف بارگاه کیخسرو به حرکت درآمدند. هوا از درفش های گوناگون به رنگ سرخ و زرد و کبود و بنفش درآمد. طوس به فرمان کیخسرو، سرداران سپاه را پیش او بُرد. پادشاه جوان رو به آن ها کرد و گفت:

« سالارسپاه، طوس است! همگی از او فرمانبرداری کنید! در راهی که در پیش دارید، کسی را نیازارید! کشاورزان و پیشه وران را که با شما رو در رو نمی شوند، کوچکترین آزاری نرسانید و جز با کسانی که با شما سر جنگ دارند، نجنگید! »

سپس به طوس دستور داد که سپاه را از راه بیابان به توران برساند نه از راه کلات. زیرا فرود، پسر دیگر سیاوُش با مادرش جریره که دختر پیران بود، در آنجا زندگی می کرد. و طوس به هیچ روی نباید با او رودررو می شد. طوس گفت:

« روزگار از فرمان تو سر نمی پیچد. من نیز هر چه تو فرمان بدهی، به جای خواهم آورد. »

سپاهیان ایران منزل به منزل پیش رفتند تا بر سر دوراهی ای رسیدند که یک راه به سوی کلات و راه دیگر به سوی بیابانی خشک و گرم می رفت. درنگ کردند تا طوس برسد و به آن ها بگوید که از کدام راه بروند. اندکی بعد طوس به آن ها رسید و به گودرز گفت که راه بیابان دشوار است و اگر گردِ آن عنبر و خاک آن مشک باشد، برای گذشتن از آن به آب و آسایش نیاز خواهند داشت. و افزود که پیش از این یکبار از راه کلات گذشته است، اگرچه کوهستانی است و پستی و بلندی بسیار دارد، اما سراسر راه آباد است و او بهتر می بیند که از راه کلات بروند.

آگاهی یافتن فرود از آمدن لشکر ایرانیان

بزودی فرود باخبر شد که سپاه بزرگی از ایران که برای جنگ به طرف توران می رود، به دامنۀ کوه رسیده است. پس دستور داد تا گله های اسبان و گوسفندان را که در کوه رها بودند، به درون دژ ببرند، دروازۀ آن را محکم کنند و آمادۀ رویارویی با سپاهیان ایران شوند. آنگاه نزد مادرش جریره رفت و به او از آمدن سپاه ایران خبرداد و چون نگران حملۀ ایرانیان به دژ بود، از او چاره خواست. جریره گفت:

« پادشاه ایران برادرت کیخسرو است، با تو همخون است و ترا می شناسد. حال که او برای خونخواهی پدرت، سپاه فرستاده است، سالار سپاه و پهلوانان ایران را به دژ دعوت کن و آنچه از ابزار جنگ داری، به آن ها ببخش و برای جنگ با افراسیاب با آن ها همراه شو ،

ز پیشِ سپاهِ برادر برو   تو کین خواه نو باش و او شاهِ نو »

فرود گفت:

« اما از سوی ایرانیان پیامی برای من نیامده است و نمی دانم کدام یک از سرداران ایران می توانند برای من پایمردی کنند[1]. »

جریره گفت که زنگهٔ شاوران و بهرام با سیاوش همسال و دوست بودند. بهتر است فرود بدون سپاه، همراه با تُخوار از دژ بیرون برود. تُخوار سرداران ایران را می شناسد و می تواند از دور آن ها را به او نشان دهد. فرود شادمان شد و از مادرش سپاسگزاری کرد.

در این هنگام دیدبان خبر داد که سپاهیان ایران سرتاسر دشت و کوه را پرکرده اند. فرود و تُخوار از دژ بیرون رفتند. سپاهیان ایران از سواره و پیاده، نیزه و شمشیر به دست، گروه گروه، به کوه نزدیک می شدند. آنچنانکه از بانگ دهل و کوسِ آن ها، کرگس به ستوه آمده بود. فرود و تُخوار از بسیاری آن ها و ابزارهای جنگی شان شگفت زده شدند. فرود از تُخوار خواست که با دیدن درفش های برافراشتهٔ سرداران نام آن ها را بگوید.

رفتن بهرامِ گودرز نزد فرود

تَخوار یکایک درفش ها را با نقش های گوناگونی که داشتند، به فرود نشان می داد و نام صاحبان آن ها را با توصیفی از دلاوری های آن ها به اومی گفت، در این هنگام ایرانیان فرود و تخوار را بالای کو ه دیدند و به طوس خبردادند. طوس خشمناک دستور داد تا یکی از سرداران، بی هیچ درنگ بالای کوه برود تا اگر آن ها از سپاهیان ایران بودند که از لشکر جدا شده و به آنجا رفته اند، به آن ها دویست ضربه تازیانه بزنند، اگر تورانی بودند، هردو را دست بسته، نزد او بیاورد. و اگر برای به دست آوردن خبراز سپاه ایران به آنجا آمده بودند، آن ها را با

---

۱. پایمردی کردن : شفاعت کردن

شمشیر دونیم کند و از کوه به پایین بیندازد. بهرام پسر گودرز که از سرانجام دستوری که طوس داده بود، بیم داشت، بی درنگ آمادهٔ بالا رفتن از کوه شد و سوار بر اسب به طرف فرود و تُخوار به راه افتاد.

فرود از تُخوار پرسید:

« این سوار که بی هیچ بیم و هراسی ازکوه بالا می آید، کیست؟ »

تخوار گفت که به این مرد آسیبی نمی توان رساند. چون او را خوب نمی شناسد و نام و نشانش را نمی داند. اما گمان می کند که از خاندان گودرز باشد؛ هنگامی که کیخسرو از توران به ایران رفت، یکی از کلاهخودهایش گم شد، به نظر می رسد که کلاهخودی که بر سردارد، همان باشد. بهرام به قلهٔ نزدیکتر شد و رو به فرود فریاد زد:

« تو کیستی؟ این سپاه بیشمار را نمی بینی؟ صدای بوق و کوس را نمی شنوی؟ از طوسِ سپه سالار بیم نداری؟ »

فرودش چنین پاسخ آورد باز	که تندی ندیدی، تو تندی مساز!
سخن گوی نرم، ای جوانمرد مرد!	میارای لب را به گفتارِ سرد ،
نه تو شیر جنگیّ و من گورِ دشت	برین گونه بر من نشاید گذشت

تو از مردی و پهلوانی و زور و توان از من برتر نیستی. سرتاپای مرا نگاه کن و ببین که من هم همچون تو سر و دست و پا و دل و مغز و هوش و زبان سخنگو و چشم و گوش دارم. پس بیهوده لاف مزن. از تو پرسش هایی دارم. اگر به آن ها پاسخ بدهی، شادمان می شوم. »

بهرام این بار با نرمی و ملایمت گفت:

« هرچه می خواهی بپرس ! سرا پا گوشم ! »

فُرود
بهرام

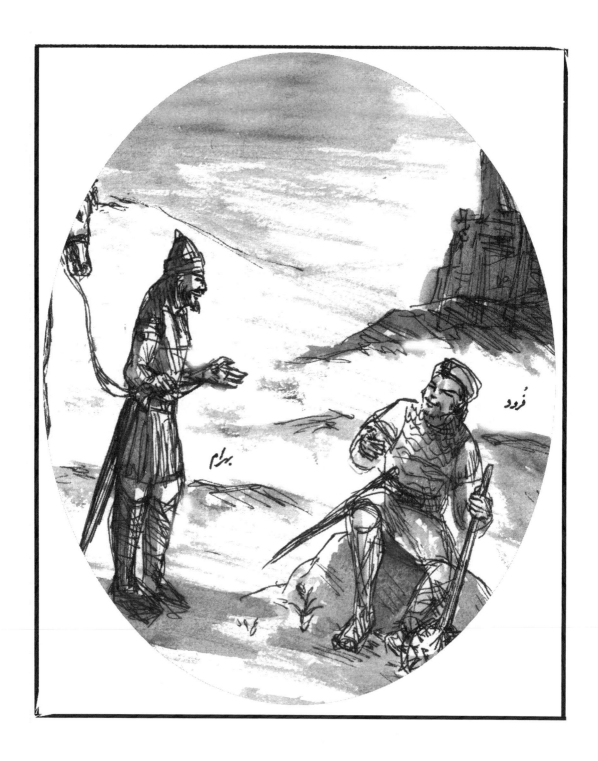

فرود نام سالار سپاه را پرسید. بهرام گفت که طوس، سالارسپاه است. گودرز و گیو و شیدوش و فرهاد و گرگین ، گُستَهم و زنگهٔ شاوران و گرازه نیز با او همراهند. فرود پرسید:

« پس چرا نامی از بهرام نبردی؟ از میان پسران گودرز، امید من به اوست. »

بهرام گفت:

« تو بهرام را از کجا می شناسی؟ »

فرود پاسخ داد که مادرش جریره از بهرام و زنگهٔ شاوران با او سخن گفته و اینکه این دو، همسال و دوست پدرش بوده اند و حال می خواهد آن دو را در میان سپاهیان ایران بیابد.

بهرام با شادمانی پرسید:

« پس تو بارِ آن درخت خسروانی هستی؟ تو فرودی؟ »

بدو گفت: کاری[1] فرودم درست — از آن سروِ افکنده، شاخی بِرُست

بهرام از فرود خواست تا بازویش را برهنه کند و خالی را که سیاوش و همهٔ نبیره های کیقباد داشتند، به او نشان بدهد. فرود خالِ بازوی خود را که همچون نقطه ای از عنبر، بر برگِ گلِ سرخ بود، به او نشان داد. بهرام دریافت که او پسر سیاوش است. شادمان و سرخوش نزدیک تر رفت و به او درود گفت. فرود نیز از اسب پیاده شد. بر سر سنگی نشست و به بهرام گفت:

« اگر پدرم را زنده می دیدم، این همه شادمان نمی شدم. برای این از دژ بیرون آمده ام که کسی از سپاهیان ایران را ببینم و بپرسم که سالار سپاه ایران کیست، تا او را مهمان کنم و آنچه از اسب و ابزار جنگ دارم به او ببخشم و برای خونخواهی پدرم پیشاپیشِ سپاه ایران به توران بروم. »

---

۱. کاری: که آری

و از بهرام خواست که از طرف او طوس را به دژ دعوت کند تا یک هفته در آنجا مهمان فرود باشد. پس از آن برای جنگ با افراسیاب با ایرانیان همراه شود.

بهرام گفت که پیغام او را به طوس خواهد رساند. اما طوس مردی خودکامه و بی تارو پود[1] و بی خرد است. پند هیچکس را نمی پذیرد. چون فرزند نوذر است و خود را سزاوار پادشاهی می داند، کیخسرو را به پادشاهی قبول ندارد. بر سر پادشاهی او با کیکاوس و گیو و گودرز، همدل و همداستان نبود. دور نیست که سخنان بهرام را هم نپذیرد. و افزود که طوس او را فرستاده است تا آن دو را که بر بلندای کوه برای تماشای سپاهیان ایران ایستاده بودند، از میان بردارد. با اینهمه اگر بتواند طوس را رام کند، برمی گردد و فرود را نزد او می بَرَد. اما اگر فرود دید که کس دیگری به جز بهرام از کوه بالا می آید، بداند که از او ایمن نیست. باید بی درنگ به درون دژ برود و با او رو در رو نشود.

فرود گرز خود را که از پیروزه بود و دسته ای زرین داشت، از کمر بیرون کشید و آن را به بهرام بخشید و به او گفت:

« این را از من به یادگار داشته باش. اگر طوس سپه سالار دعوت مرا بپذیرد، هدیه های بیشتری به تو خواهم داد. »

بهرام نزد طوس برگشت و خبر داد که سواری که در بالای کوه است، فرود فرزند سیاوُش است. و او خالی را که نشانهٔ نژاد کیقباد است بر بازوی او دیده است. طوس خشمناک، فریاد زد:

---

1. بی تار و پود : سست و نا استوار

« از شما فرزندان گودرز، جز زیان به سپاه نمی رسد. سالار سپاه منم! گفته بودم که از او هیچ پرسشی مکن و او را نزد من بیاور! اگر او پادشاه است، پس من در اینجا چه کاره ام؟ فرود با دیدن سپاه بزرگ من هراسان شده و به فریبکاری روآورده است. »

جنگ ریونیز با فرود

طوس رو به سران سپاه کرد و گفت مردی نامدار و نام جوی می خواهم که سر این مرد را برای من بیاورد. ریونیز داماد طوس داوطلب این کار شد. بهرام به طوس گفت که از خداوند خورشید و ماه و از کیخسرو شرم کند. فرود با هرکس که بالای کوه برود، رودررو خواهد شد و مصیبت و اندوهی بزرگ به بار خواهد آمد. طوس، پند بهرام را خوش نداشت و از سخنان او خشمناک شد. به فرمان طوس چند تن از سپاهیان به طرف کوه تاختند. بهرام آن ها را از این کار بازداشت و گفت کسی که در آنجاست، پسر سیاوش و برادر کیخسروست. یک موی او به یک پهلوان می ارزد. کسانی که سیاوش را ندیده اند، باید فرود را ببینند و آرامش بیابند. سواران با شنیدن سخنان بهرام از راه برگشتند. اما ریونیز داماد طوس که دلی ستمکار داشت، به ستیزه رو آورد و به طرف کوه تاخت و از راه جَرَم خود را به سپد کوه (سبد کوه) رساند. فرود همینکه او را دید تیر و کمانش را آماده کرد و به تُخوار گفت:

« سواری که به طرف ما می آید، بهرام نیست. طوس سخنان مرا نپذیرفته است. دلنگرانم. ببین او کیست؟ »

تخوار گفت که او ریونیز داماد طوس است. چهل خواهر دارد. در خانوادهٔ خود تنها پسر است. مردی دلیراست، اما خویی اهریمنی دارد و سخت فریبکار و چاپلوس است. فرود گفت:

۲۸

« در جنگ این خصلت ها ستوده نیست. حال که به جنگ من آمده، او را بر دامن خواهرانش خواهم خواباند. اگر نیزهٔ من از کنار او بگذرد و زنده بماند، بدان که آدمی زاده نیست. »

و از تُخوار پرسید که تیر را به اسب ریونیز بزند یا به خود او؟ تخوار پاسخ داد:

« ریونیز را بزن تا دل طوس آتش بگیرد و بداند که تو در پی آشتی بودی. او بی سبب این مرد را برای جنگیدن با تو فرستاده تا مایهٔ سرشکستگی برادرت کیخسرو شود. »

همینکه ریونیز تیر و کمان در دست، نزدیک شد، فرود تیر و کمانش را آماده کرد، تیری به طرف او انداخت و سرِ ریونیز را به کلاهخود او دوخت. اسب و سوار هردو بر خاک غلتیدند.

طوس کشته شدن ریونیز را از پایین کوه دید و جهان در پیش چشمش تاریک شد.

جنگ زرسپ با فرود

طوس بی درنگ دستور داد تا پسرش زرسپ جامهٔ جنگ بپوشد و به خونخواهی ریونیز برود. زرسپ سوار بر اسب به طرف کوه تاخت. فرود از تُخوار نام و نشان او را پرسید. تُخوار گفت:

« جنگی سخت در پیش داری. مردی که به سوی ما می آید، پسر طوس است. مردی دلاور است که از پیل جنگی نیز رو برنمی گرداند. یکی از خواهرانِ ریونیز همسرِ اوست. برای خونخواهی ریونیز آمده است. همینکه به تو نزدیک شد، او را با تیر بزن تا طوسِ دیوانه بداند که ما بیهوده به اینجا نیامده ایم. »

فرود اسب خودرا به طرف زرسپ تازاند و تیری به طرف او انداخت. زرسپ از اسب به زیر افتاد و اسب شتابان به لشکرگاه برگشت. با دیدن اسبِ بی سوار، جوش و خروش ایرانیان به

آسمان بلند شد. طوس با دلی پر خون و چشمی پر اشک، همچون کوهی که بر پشت پیلی سِتُرگ بگذارند، بر اسب سوار شد.

عنان را بپیچید سوی فرود   دلش پر ز کین بود، سر پر ز دود

رفتن طوسِ نوذر به جنگ فرود

تُخوار همینکه طوس را دید، به فرود گفت:

« این کوهی که جوشان و خروشان به طرف ما می آید، طوس سپه سالار ایران است که فرزند و داماد او را کشته ای. تو هرگز تابِ رو در رو شدن با این نهنگِ جنگ آزموده را نداری. باید به دژ برویم، دروازهٔ آن را ببندیم و ببینیم بخت چه خواهد کرد؟ »

فرودِ جوان خشمناک گفت که در هنگام جنگ برای او طوس و شیر ژیان و نهنگ و ببر بیان [۱] یکسانند. و افزود که در هنگام جنگ باید به مرد جنگجو دل داد و او را برانگیخت، نه اینکه بر آتش او خاک ریخت و او را از جنگ بازداشت. تُخوار در پاسخ گفت:

« تو سواری تنهایی. اگر از آهن هم باشی و کوه خارا را از جا بکنی، با سی هزار جنگجوی ایرانی که به جنگ تو می آیند، نمی توانی کاری از پیش ببری.

نه دژ مانَد ایدر [۲] نه سنگ و نه خاک   سراسر به پای اندر آرند پاک

به کین پدرت اندر آید شکست [۳]   شکستی که هرگز نشایدش بست »

---

۱. ببر بیان : در فرهنگ ها آن را نوعی ببر افسانه ای؛ وحشی تر از شیر، نوشته اند. طبق تحقیق های جدید، اژدهایی افسانه ای که پوستی زخم ناپذیر داشت.

۲. ایدر : اینجا ؛ اکنون

۳. شکست اندرآمدن به: لطمه و آسیب رسیدن به..

خدمتکاران فرود بر بام دژ به تماشا ایستاده بودند و فرود خوش نداشت که پیش چشم آن ها به دژ برگردد. تیر و کمانش را آماده کرد و اسبش را به جلو راند.

تخوار گفت:

« اگر می خواهی با طوس بجنگی، او را نکش. اسب او را از پا بینداز. ایرانیان هرچند کار بر آن ها دشوار شود، بدون اسب نمی جنگند. او نزد سپاهیان خود برمی گردد. اما اگر کشته یا زخمی شود و برنگردد، سپاهیانش به دنبال او خواهند آمد و تو تاب رویارویی با آن ها را نخواهی داشت. »

فرود سخنان او را پذیرفت و هنگامی که طوس نزدیک شد، تیری بر اسب او زد. اسب بر زمین افتاد و جان داد. طوس پیاده، سپر خود را روی شانه گذاشت و به لشکرگاه برگشت. فرود به او که از کوه پایین می رفت، گفت:

« سردار سپاهی که از یک سوارِ تنها شکست می خورَد، چگونه می خواهد به جنگی بزرگ برود. »

و خدمتکارانش از بالای بام دژ با خنده و تمسخر فریاد زدند:

« پیرمرد از بیم تیر سوار جوان، گریخت! »

همینکه طوس به لشکرگاه رسید، سران سپاه گرد او جمع شدند و از اینکه تندرست برگشته، شادی کردند. گیو که از کار فرود سخت برآشفته بود، گفت:

« هرچند طوس از سر خشم فرمان داد، اما فرود گستاخی را از حد گذرانده. زرسپ را که از نژاد نوذر بود، نابود کرده، ریونیز را به خاک و خون کشیده و سپاهیان ایران را خوار کرده. فرود از تبار پادشاهان ایران است، اما کارهای نابخردانه می کند و ما این خواری ها را تاب نمی آوریم. »

رفتن گیو به جنگ فرود

گیو همچنانکه این سخنان را بر زبان می آورد، زره پوشید، بر اسب نیرومند خود سوار شد و
به طرف جَرَم به راه افتاد. فرود همینکه او را از دور دید، آهی کشید و گفت:

« این سپاهیانی که در دلاوری همچون خورشید در خرداد ماه می درخشند، از خرد بی بهره اند.
بیم دارم که در خونخواهی سیاوش پیروز نشوند. مگر اینکه کیخسرو خود به توران بیاید و من
و او پشت به پشت هم، دشمن را شکست دهیم. »

و از تُخوار پرسید:

« این سوار که به طرف ما می آید، کیست که بزودی کشته خواهد شد. »

تخوار گفت:

« این اژدهای خشمگین که پرنده را با نفس خود شکار می کند، گیو است. همان کسی که به
تنهایی سه لشکر از تورانیان را شکست داد، پیران، نیای ترا اسیر کرد و برادرت کیخسرو را
به ایران برد. تیر تو از زره او نمی گذرد. چراکه هنگام جنگ زره سیاوش را می پوشد. تیر و
کمانت را آماده کن و اسب او را با تیر بزن تا پیاده شود و مانند طوس سپرش را بر شانه
بگذارد و برگردد. »

فرود کمان را کشید و تیری به سینهٔ اسب گیو زد. او به ناچار پیاده شد و برگشت. بار دیگر
صدای خندهٔ خدمتکاران فرود از بام دژ بلند شد. گیو خشمگین از خندهٔ تمسخرآمیزآن ها
خود را به لشکرگاه ایرانیان رساند. پهلوانان سپاه پیش رفتند و او را دلداری دادند:

که اسب است خسته[1]، تو خسته نه ای　　توان شد[2] دگرباره، بسته نه ای

بیژن پسر گیو که از بازگشت او سخت به خشم آمده بود، او را سرزنش کردکه جوانی تورانی اسب او را مجروح کرده و او پیاده برگشته است.

به دنبال گفت و گوهایی که بین آن دو درگرفت، گیو سخت خشمگین شد، تازیانه ای بر سر بیژن زد. و او را دشنام داد و نفرین کرد. بیژن که هم از شکست و هم از خشم پدر دلش به درد آمده بود، به آفریدگار سوگند خورد که به خونخواهی زرسپ خواهد رفت و از اسب پیاده نخواهد شد، مگر آنکه کشته شود. بی درنگ نزد گُستَهم رفت و از او خواست که اسبی رام که در بالا رفتن از کوه چابک باشد، به او بدهد تا به جنگ فرود برود و دلاوری خود را نشان دهد. و افزود که تنها دو اسب دارد و نمی خواهد در جنگ با فرود، یکی از آن ها را از دست بدهد. چون مانند آن را پیدا نخواهد کرد.

گُستَهم گفت:

« بیهوده به دنبال بلا مرو. رفتن تو کاری درست نیست. زرسپ و ریونیز و طوسِ سپهدار که هیچ کس را به حساب نمی آوَرَد و پدرت که شیر ژیان را شکار می کند، در رویارویی با فرود ناکام شد ند. هیچکس با کوه خارا نمی جنگد. »

اما بیژن بر تصمیم خود پافشاری کرد و گفت:

« مرا ناامید مکن. من به ماه و به دارندۀ آسمان و به تاجِ پادشاه سوگند خورده ام که از پیش این تورانی اسب برنگردانم، مگر آنکه همچون زرسپ کشته شوم. »

---

۱. خسته : زخمی

۲. شدن : رفتن

گستهم بار دیگر او را پند داد و کار او را بیخردانه دانست. اما بیژن گفت که اگر به او اسب ندهد، پیاده به جنگ فرود خواهد رفت. سرانجام گستهم پذیرفت که بیژن از میان اسب های او هرکدام را می پسندد، برگزیند و دستور بدهد آن را آماده کنند. اگر هم اسب کشته شود، اهمیتی ندارد. او تنها یک آرزو دارد و آن اینکه به بیژن کوچکترین آسیبی نرسد و مویی از سر او کم نشود.

بیژن از میان اسب های گستهم، اسبی قوی هیکل برگزید. گیو که مهارت فرود را در تیراندازی آزموده بود و نگران بیژن بود، زره و کلاهخودِ سیاوش را به گستهم داد تا برای بیژن ببرد. بیژن زره را پوشید و کلاهخود را بر سر گذاشت و با شتاب رو به سپدکوه گذاشت.

جنگ بیژن با فرود

فرود همینکه دید سواری از کوه بالا می آید، از تخوار نام او را پرسید. تخوار گفت که او بیژن، تنها فرزند گیو است. در دلاوری بی همتا و در تمامی جنگ ها پیروز است. زرهی که بر تن دارد، همان زره سیاوش است که گیو هم پوشیده بود. هیچ تیر و نیزه ای بر آن کارگر نیست. بهتر است فرود اسبش را نشانه بگیرد. چون یارای رودررویی با او را نخواهد داشت.
فرود تیر و کمان خود را آماده کرد و تیری بر اسب بیژن زد. اسب در دم جان داد. بیژن شمشیر کشید و رو به فرود فریاد زد:
« برای جنگ با شیر آماده شو تا ببینی که مردان جنگی، پیاده نیز می جنگند. »

فرود که انتظار داشت که بیژن نیز همچون دیگران با کشته شدن اسبش به اردوگاه ایرانیان برگردد، خشمگین شد و تیری دیگر به طرف بیژن پرتاب کرد. تیر سپر را درید اما بر زره او کارگر نشد. بیژن بی آنکه از خود ترس و درماندگی نشان دهد، شمشیر خود را از کمر بیرون کشید و به طرف فرود رفت. فرود به طرف دژ تاخت. بیژن دوان دوان او را دنبال کرد و با شمشیر ضربه ای بر اسب او زد. اسب بر زمین افتاد اما فرود توانست خود را به دژ برساند. مردان او دروازهٔ دژ را بستند و خدمتکارانش از بالای بام، بیژن را سنگباران کردند. بیژن فریاد زد:

« ای سوار دلاور! شرم نداری که از مردی پیاده، گریختی؟ »

و ناچار به اردوگاه برگشت و به طوس گفت:

« دلاوری این مرد بی اندازه است. اگر کوه خارا از پیکان این سوار آب شود و به قعر دریا فرو برود، شگفت نیست. »

اما طوس سوگند خورد که با فرود خواهد جنگید و خاک آن دژ را به آسمان خواهد رساند.

تن تُرکِ[1] بدخواه بی جان کنم   ز خونش دل سنگ مرجان کنم

خواب دیدن جریره مادر فرود

هنگامی که خورشید ناپدید شد و شب تیره بر آسمان لشکر کشید، نگهبانان دروازهٔ دژ را محکم بستند و سپاه را برای جنگ آماده کردند.

آن شب جریره در خواب دید که آتشی با شعله های بلند سرتاسر سپد کوه را گرفته و دژ و همهٔ خدمتکاران در آن می سوزند. غمگین و با دلی پردرد از خواب بیدارشد، بالای بام دژ

---

۱. تُرک: تورانی

رفت. سرتاسر کوهستان را پر از جوشن و نیزه دید. سراسیمه نزد فرود رفت و او را از آنچه دیده بود، باخبر کرد. فرود جوان مادر را دلداری داد که غمگین نباشد. اگر زندگی او به پایان رسیده باشد، بیش از آنچه سهم او بوده، به دست نخواهد آورد. و افزود که زندگی او نیز همچون زندگی پدرش، سیاوش کوتاه است. همچنانکه گُروی سیاوش را کشت، بیژن هم برای کشتن او آمده است. اما او هرگز از ایرانیان زنهار نخواهد خواست.

فرود پس از آن جامهٔ جنگ پوشید و سپاهیان اندک خود را آماده کرد.

جنگ فرود با ایرانیان

صبح روز بعد، هنگامی که خورشید با چهره ای درخشان بر گنبد آسمان بالا رفت، فرود با سواران خود، از دژ بیرون آمد. کوه از گرد و غبار سواران و از گرز و تیر آنان، همچون دریایی از قیر شد. اما کوهسار جای جنگ نبود و اسب ها گیج و سرگردان بودند. با اینهمه سپاهیان او تا نیمروز که خورشید به اوج آسمان رسید، جنگیدند. اما هیچیک از سواران او زنده نماندند. فرود ناچار اسب خود را به طرف دژ تازاند. رُهّام و بیژن از کمینگاه، او را دنبال کردند. فرود همین که بیژن را دید که به تاخت به طرف او می آید، گرز را از کمر بیرون کشید تا بر سر او بکوبد. اما رُهّام از پشت، با شمشیر ضربه ای بر شانهٔ او زد، بازوی فرود از شانه جدا شد. با اینهمه خود را به دژ رساند. جریره و خدمتکاران او را بر تختی از عاج خواباندند. در کنار بستر او جمع شدند، موهای خود را کندند و مویه کردند. فرود به سختی لب باز کرد و به آن ها گفت که هم اکنون ایرانیان وارد دژ می شوند، آنجا را تاراج و ویران می کنند و همگی را به اسارت می گیرند. پس از آن ها خواست تا بالای حصار دژ بروند و خود را به زیر بیندازند تا ایرانیان بر آن ها دست نیابند.

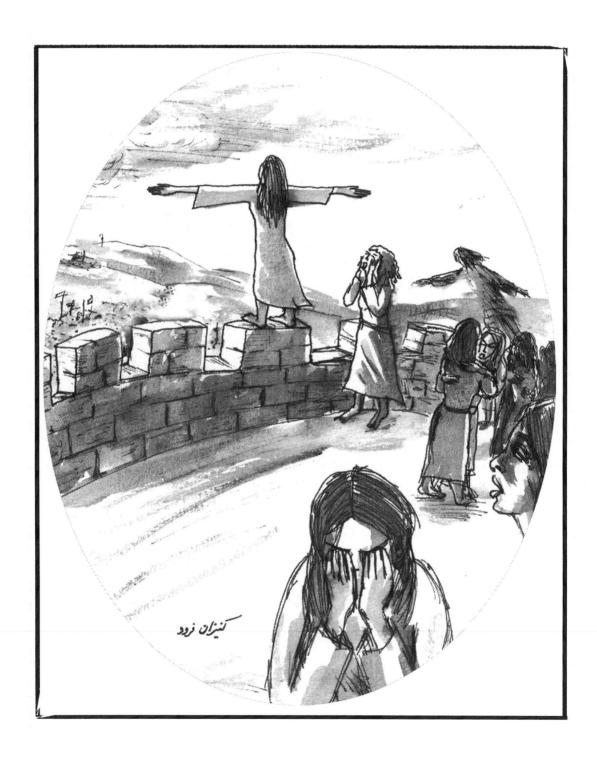

کنیزان فرود

خدمتکاران فرود آنچنانکه او خواسته بود بر بالای بام دژ رفتند و خود را از آنجا پرتاب کردند. جریره آتشی روشن کرد و هرچه گنج و دارایی در دژ بود، در آن انداخت تا بسوزد.

یکی تیغ بگرفت از آن پس به دست　　در خانۀ تازی اسبان ببست
شکمشان بدرّید و ببرید پی[1]　　همی ریخت از روی او خون و خِوی[2]
بیامد به بالین فرخ فرود　　برِ جامۀ[3] او یکی دشنه بود
دو رخ را به روی پسر بر نهاد　　شکم بردرید از برش جان بداد

اندکی بعد ایرانیان در دژ را شکستند و برای تاراج کردن وارد دژ شدند. بهرام به بالین فرود رفت. از دیدن او دلش به درد آمد و اشک از چشمانش سرازیر شد. رو به ایرانیان کرد و گفت:

« فرود از پدرش سیاوش خوارتر و زارتر کشته شد؛ کسی که سیاوش را کشت، زیردستِ او نبود، مادر بر بالینش کشته نشد، دژ و کاخش در آتش نسوخت و خان و مانش از میان نرفت. »

و آن ها را از خشم آسمان ترساند و از اینکه دستورهای کیخسرو را فراموش کرده بودند، به سختی سرزنش کرد وگفت که کیخسرو آن ها را برای خونخواهی پدر فرستاد نه کشتن برادر و روزی که از کشته شدن فرود باخبر شود، شرمندگی سودی نخواهد داشت. و خشمناک از رُهّام و بیژن فریاد زد که این دو تندخوی تنگ حوصله، هیچگاه کاری درست و بجا نمی کنند.

طوسِ سپه سالار همراه با گودرز و گیو و دیگر بزرگان به دژ آمد. فرود با چهره ای همچون ماه و اندامی همانند ساج[4] بر تخت خوابیده بود، چنانکه انگار سیاوش بر تخت زرین آرمیده

---

۱. پی بریدن: بریدن پی پاشنۀ پا

۲. خِوی : عرق

۳. جامه: بستر

۴. ساج: درختی با تنه ای بلند

است، پیکر جریره در کنار او غرق در خون بود، بهرام در یک طرف و زنگه در طرف دیگر تخت، خشمگین و اشکریزان نشسته بودند. گیو و گودرز و دیگر بزرگان و پهلوانان به گریه افتادند. همگی آن ها طوس را سرزنش کردند که با خشم نا به جای خود، زندگی فرود و زرسپ و ریونیز را به باد داد و برای خود پشیمانی به بار آورد.

به دستور طوس برقلهٔ کوه دخمه ای شاهانه ساختند. پیکر فرود را با گل و مشک و کافور آراستند و با دیبای زربفت پوشاندند.

نهادند بر تخت و گشتند باز　　　　شد آن شیردل مردِ با نام و ناز

جنگ بیژن با بلاشان در کاس رود

طوس سه روز در جَرَم ماند. روز چهارم سپاه را به طرف توران راند. سپاه ایران به زودی به کاس رود رسید. در آنجا فرود آمدند و خیمه ها را برپا کردند. همین که خبر رسیدن آن ها به توران رسید، بلاشان (پلاشان) که از پهلوانان بزرگ توران بود، به طرف کاس رود به راه افتاد تا از چگونگی و شمار سپاهیان ایران و از سرداران آن ها خبری به دست آورد.

هنگامی که بلاشان به کاس رود رسید، گیو و بیژن دور از سپاه بر بالای کوهی نشسته بودند و سرگرم گفت و گو بودند. گیو همین که چشمش به بلاشان و سپاه او افتاد، آمادهٔ رودررو شدن با او شد. گرز خود را در دست گرفت و به بیژن گفت که به جنگ بلاشان خواهد رفت، یا سر او را از تن جدا خواهد کرد یا او را دست بسته به اردوگاه خواهد آورد. بیژن گفت:

« کسی که باید به جنگ بلاشان برود، منم! کیخسرو جنگ با بلاشان را به من واگذار کرده و برای این کار به من خلعت بخشیده است. »

گیو که از دلاوری های بلاشان خبر داشت و نگران کشته شدن بیژن به دست او بود، کوشید او را از این کار باز دارد. اما بیژن از پدر درخواست کرد که زره سیاوش را به او بدهد تا بپوشد و ببیند که پلنگ چگونه صید خود را شکار می کند.

بیژن زره سیاوش را پوشید و بر اسبی تیزرو سوار شد و نیزه در دست به طرف دشتی که بلاشان در آنجا بود، روانه شد. هنگامی به آنجا رسید که بلاشان آهویی شکار کرده و سرگرم خوردن آن بود. اسب بلاشان که در آن نزدیکی سرگرم چرا بود، با دیدن اسب بیژن، شیهه کشید. بلاشان دانست که سواری از راه رسیده است و آماده برای جنگیدن، فریاد زد:

« من مردی شیرافکن و دیوبندم. تو کیستی که بزودی ستارگانِ آسمان بر تو گریه خواهند کرد؟ »

دلاور بدو گفت: « من بیژنم ! — به جنگ اندرون گُردِ رویین تنم !

نیا شیرِ جنگی ، پدر گیوِ گُرد — هم اکنون ببینی ز من دستبرد[1]

که روز بلا در دمِ کارزار — تو برکوه چون گرگ مردار خوار،

همی دود و خاکستر و خون خوری — گه آمد که جانت به هامون بری

بلاشان پاسخی نداد و اسب خود را همچون دیو جنگی به طرف او تازاند. دو سوار با نیزه به یکدیگر حمله کردند. نوک فلزی نیزه هایشان شکست، دست به شمشیر بردند، شمشیرهایشان نیز از ضربه های پیاپی تکه تکه شد. با گرزهاشان جنگیدند. بیژن ضربه ای سخت بر پشت بلاشان زد، بلاشان از اسب افتاد، بیژن پیاده شد، سر او را از تن جدا کرد و آن را با جوشن و اسب بلاشان نزد پدر برد. هردو نزد طوس رفتند. طوس از کشته شدن بلاشان که از سرداران بزرگ و پشتیبان سپاه توران بود، بسیار شادمان شد.

---

۱. دستبرد: ضرب شست؛ قدرت

آگاهی یافتن افراسیاب از آمدن لشکر ایران

هنگامی که به افراسیاب خبر رسید که ایرانیان برای خونخواهی سیاوش به توران لشکر کشیده اند و تا کاس رود پیش آمده اند، پیران را خواست و به او گفت:

« سرانجام کیخسرو دشمنی پنهانی خود را آشکار کرد. ما نیز باید به او پاسخ بدهیم وگرنه روزگار بر ما سیاه خواهد شد. »

و دستور داد تا پیران بی درنگ سپاهی بزرگ برای جنگ فراهم کند.

در این هنگام اردوی ایرانیان با تندبادی سخت روبرو شد. ابر آسمان را پوشاند، هوا سرد و تاریک شد. سرتاسر دشت از برف به رنگ سفید درآمد. باد و برف و یخبندان یک هفته به درازا کشید.

خور و خواب و آرامگه تنگ شد   تو گفتی که روی زمین سنگ شد

سپاهیان ایران یکسره جنگ را فراموش کردند. بسیاری از آن ها اسب های جنگی را کشتند و خوردند. بسیاری از سرما از پا درآمدند.

روز هشتم آفتاب دمید و برف ها آب شد. طوس سپاهیان را گرد آورد و به آن ها گفت که سپاه آسیب بسیار دیده است و بهتر است که از همانجا برگردند. اما بهرام که از کشته شدن فرود سخت خشمگین و پریشان بود، به طوس اعتراض کرد:

« تو با پسر سیاوش جنگیدی و او را به کشتن دادی، اکنون نیز از جنگ با دشمنان سیاوش سر باز می زنی؟ کاری را که به راستی و درستی پیش می رود، کج مکن. ببین به خاطر خونی که در کلات بی سبب ریختی، چند تن از سپاهیان در اینجا جانشان را از دست دادند. »

طوس از پسرش زرسپ و ریونیز و دلاوری های آن ها و از اینکه آن ها هم در آن جنگ کشته شده بودند یاد کرد، کشته شدن فرود را سرنوشت او دانست و گفت بهتر است از گذشته یاد نکنند و درباره این که فرود به حق یا ناحق کشته شد، سخنی نگویند. حال وقت آن است که گیو که از پادشاه برای از میان بردن کوه بزرگِ هیزمی که بر سر راه است، خلعت گرفته، برود و آن را آتش بزند. تا راه برای رفتن سپاهیان به توران باز شود.

گیو بی درنگ گفت که انجام دادن این کار آسان است. بیژن رو به پدرش کرد و گفت که این کار را به او که جوان است، واگذار کند. گیو نپذیرفت و گفت که پیر نیست و هنوز توان آن را دارد که کوه خارا را با نفس خود بسوزاند.

گیو با دشواری بسیار در میان برف و یخ از کاس رود گذشت. خود را به کوه هیزم رساند، با پیکانِ تیر خود آتشی روشن کرد و در میان آن انداخت. هیزم ها شعله ور شدند. سوختن آن ها سه هفته به درازا کشید. هفته چهارم که گرما و باد و دود فرو نشست، سپاهیان از آنجا گذشتند و راه گُروگِرد را در پیش گرفتند.

گروگِرد جایگاه تَژاو، از مردان دلاور افراسیاب بود و گله اسبان افراسیاب در آنجا نگهداری می شد. تژاو همینکه خبر آمدن سپاه ایران را شنید، کسی را نزد کبوده (کویژه) که چوپان اسب ها بود، فرستاد و از او خواست که پنهانی به نزدیکی سپاه ایران برود و از چگونگی و شمار آن ها خبرهایی به دست آورد، تا تورانیان بتوانند برآن ها شبیخون بزنند.

آن شب نگهبانی سپاه ایران با بیژن بود. اسب کبوده همینکه به نزدیکی او رسید، شیهه ای کشید، با شنیدن شیههٔ اسب، بیژن اسب خودرا پیش راند وتیری در کمان گذاشت،

بزد برکمربندِ چوبانِ[1] شاه همی گشت رنگ کبوده سیاه

---

۱. چوبان: چوپان

کبوده از اسب بر زمین افتاد. بیژن پرسش هایی از او کرد تا بداند چه کسی او را فرستاده است. سپس او را کشت و سرش را به لشکرگاه ایرانیان برد.
تژاو تا صبحگاه چشم به راه کبوده ماند و چون از او خبری نشد، دانست که آسیبی به او رسیده است. سپاهیان خود را فراخواند و بی درنگ برای جنگ با ایرانیان به راه افتاد.

آمدن تژاو به جنگ ایرانیان

همینکه دیدبان با فریاد خبر نزدیک شدن سپاه تژاو را به ایرانیان داد، گیو و چند تن از دلیران سپاه ایران به طرف او رفتند. گیو نخست نام او را پرسید و از اینکه با آن سپاه اندک با پای خود به کام نهنگ آمده است، او را مسخره کرد. تژاو در پاسخ گفت:
« من مردی دلیر و نیرومندم. سرآمد بزرگان و داماد افراسیابم و نژادم به پهلوانان ایرانی می رسد. »
گیو بار دیگر با تمسخر گفت:
« این سخنان را در جایی دیگر به کسی دیگر مگو. زیرا آبروی خود را بر باد می دهی. ایرانی هرگز توران را برای زندگی کردن برنمی گزینند، چرا که آنچه به دست خواهد آورد، جز خونِ دل و تلخیِ پشیمانی نخواهد بود. اگر تو مرزبان و داماد افراسیابی، باید سپاهی بزرگ داشته باشی. با این سپاه اندک بیهوده خشم و خروش نشان مده. چون بزودی شکست خواهی خورد. اما اگر با سپاهیان خود به سپاه ایران بپیوندی، برای تو از سپه سالار ایران هدیه های بسیار خواهم گرفت. »

تژاو گفت که خود او در آنجا فرمانرواست و در دشت گُروگِرد، اسبان بسیار دارد و در ایران کسی چنین دستگاهی را به خواب هم نمی بیند.

« تو این اندکی لشکر من مبین　　　　مرا جوی با گرز بر پشت زین

من امروز با این سپاه آن کنم　　　　کزین آمدنتان پشیمان کنم »

بیژن پدرش را سرزنش کرد که پیر شده است وگرنه با تژاو با مهربانی سخن نمی گفت و به او پند نمی داد. شاید فراموش کرده است که با تورانیان باید با گرز و خنجر روبرو شد. و بی درنگ به طرف سپاه تژاو تاخت .

از یک سو، گیو و بیژن و از سوی دیگر، تژاو همراه با ارتنگ و مَردوی، رودرروی یکدیگر قرار گرفتند. جنگی سخت درگرفت. بزودی ارتنگ از جنگ خسته شد و تژاو از میدان گریخت. اما بیژن، خروشان و جوشان، همچون شیری مست او را دنبال کرد. نیزه ای بر کمر تژاو زد. بند زره او جا به جا شد، اما پاره نشد. بیژن نیزه را کنار گذاشت و همچون پلنگی که بر گاومیشی حمله کند، دست دراز کرد و همانگونه که شاهین، چکاو[1] را می رباید، تاج تژاو را از سر او برداشت. این تاج را افراسیاب بر سر تژاو گذاشته بود و هرگز آن را از خود جدا نمی کرد.

تژاو به طرف دروازهٔ دژ تاخت. اما بیژن همچون برق او را دنبال کرد. تژاو به نزدیکی دژ رسید، اِسپنوی گریان و زاری کنان از او خواست که او را به دست دشمن ندهد و با خود ببرد. تژاو دلش برای او سوخت. یک لحظه درنگ کرد، یک پای خود را از رکاب بیرون آورد، اِسپنوی با چابکی پا در رکاب گذاشت، سوار شد و هردو به طرف توران تاختند. پس از مدتی اسب تژاو، خسته شد و توان خود را از دست داد. تژاو به اِسپنوی گفت:

---

۱. چکاوک: پرنده ای خوش آواز کمی کوچکتر از گنجشک که تاجی بر سر دارد.

« این اسب توان کشیدن دو نفر را ندارد. بیژن با من دشمن است و اگر خدای نکرده به من برسد، مرا خواهد کشت. اما او با تو دشمنی ندارد، بهتر است پیاده شوی تا من بتوانم خود را به افراسیاب برسانم.»

اِسپنوی ناچار پذیرفت. بیژن بزودی به آنجا رسید و اِسپنوی را بر ترک اسب خود سوار کرد و به اردوگاه ایرانیان برگشت.

سپاهیان ایران دژ را ویران کردند و بسیاری از اسب های تژاو را به دست آوردند.

تژاو سرانجام خود را به افراسیاب رساند و او همینکه از کشته شدن بلاشان و شکست تورانیان باخبر شد، از پیران خواست که بی درنگ سپاهی فراهم کند. و او را از اینکه در گردآوری و آماده کردن سپاه کاهلی کرده سرزنش کرد.

پیران بزودی سپاهی با صدهزار مرد جنگی فراهم آورد. و همراه با بارمان و تَژاو و نَستیهَن برای جنگ با ایرانیان روانه شد. نخست به سپاه دستور داد تا از بیراهه به سپاه ایران نزدیک شوند و ناگهان بر آن ها شبیخون بزنند. در نزدیکی گُروگِرد، کارآگهان[1] برای پیران خبر آوردند که ایرانیان کسی را برای دیدبانی نفرستاده اند. همگی سرگرم میگساری هستند، و تورانیان و جنگ با آن ها را یکسره فراموش کرده اند. پیران شادمان از آنچه شنیده بود، سران لشکر را خواست و به آن ها خبر داد که پیش از این در هیچ جنگی حال و کار تورانیان این همه خوب و دلخواه نبوده است.

---

۱. کار آگه: کارآگاه: جاسوس

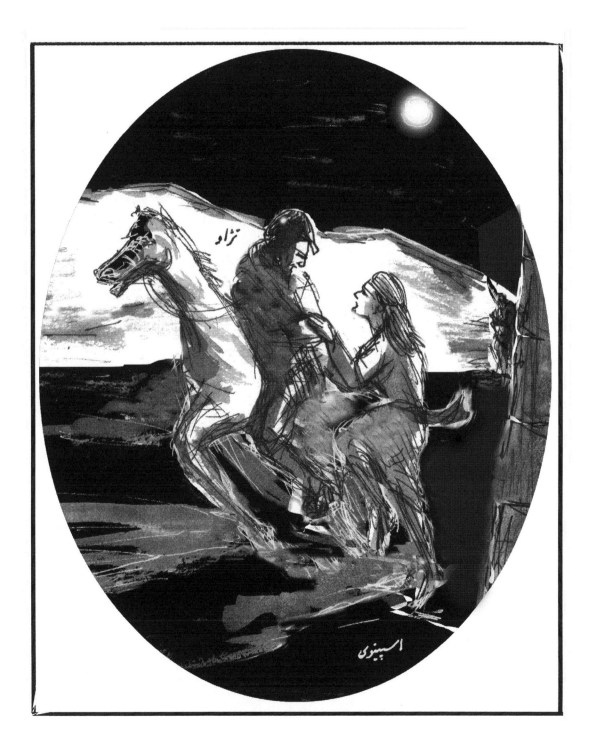

شبیخون زدن پیران ویسه بر سر طوس

شب هنگام پیران با سی هزار سوار شمشیرزن، پنهانی و بی سر و صدا به طرف اردوگاه ایرانیان رفت. تورانیان در هفت فرسنگی سپاه ایران، به گلهٔ اسبان آن ها رسیدند که در دشت رها بود. بسیاری از چوپانان را کشتند و اسب های بسیاری به دست آوردند. هنگامی که به اردوگاه ایرانیان رسیدند، به آسانی به آن ها که سرگرم میگساری بودند، حمله کردند. گیو که در خیمهٔ خود بیدار بود، با شنیدن سر و صدای آن ها بیرون آمد. از سواران ایران هیچ اثری ندید. سخت برآشفته شد و از اینکه از سپاهیان بی خبر مانده بود، خود را سرزنش کرد. شتابان خود را به سراپردهٔ طوس رساند، او را بیدار کرد و خبر حملهٔ تورانیان را داد. پدرش گودرز و پسرش بیژن را باخبر کرد و بیژن را که از سپاهیان غافل شده بود، دشنام داد. سپس به میان لشکریان رفت تا آن هایی را که هشیار بودند، بیدار کند. سواران سراسیمه در حالی که بارانی از تیر بر سرشان می بارید، از بسترهای نرم برخاستند و جنگیدند.

روز بعد، با برآمدن آفتاب، گیو نگاهی به اردوگاه کرد؛ جنگجویان ایران، با درفش های پاره پاره و طبل های واژگون، کشته بر خاک افتاده بودند. سپاهیان توران هر لحظه بیشتر می شدند و آمادهٔ جنگ، صف می کشیدند.

ایرانیان ناچار سراپرده ها و خیمه ها را رها کردند و به کاس رود برگشتند. سواران توران تمسخرکنان آن ها را دنبال کردند. از سپاهیان ایران، آن ها که زنده مانده بودند، زخمی و

ناتوان بودند. طوس بازماندهٔ سپاه را بالای کوه برد تا در امان باشند. زخمیان به پزشک و دارو نیاز داشتند و طوس شکست خورده و بی تدبیر مانده بود. گودرز نخست کسانی را برای دیدبانی بالای کوه فرستاد. سپس دستور داد تا یکی از سران سپاه نزد کیخسرو برود و او را از روزگار بد ایرانیان باخبر کند.

چو شاه دلیر آن سخن ها شنید　　بجوشید[1] و از غم دلش بردمید[2]

ز کار برادر پر از درد بود　　بر آن درد بر دردِ لشکر فزود

زبان کرد گویا به نفرینِ[3] طوس　　شب تیره تا گاه بانگ خروس

نامه نبشتن کیخسرو به فریبرزِ کاوس

کیخسرو نامه ای پردرد و خشم به فریبرز نوشت. در آن نامه پس از ستایش آفریدگار، از طوس و نافرمانی او و اینکه به جای کینخواهی از سیاوُش، فرود را نابود کرده و دردی بر دردهای او افزوده است، یاد کرد، فرماندهی سپاه را به فریبرز سپرد و دستور داد که طوس را بی درنگ نزد او بفرستد و در دشواری هایی که پیش می آید از گودرز کمک بگیرد. اما پیش از آنکه مجروحان بهبود نیابند، جنگ را آغاز نکند و هرگاه جنگ پیش بیاید، گیو را پیشاپیش سپاه قرار دهد. هنگامی که نامه به دست فریبرز رسید، بزرگان و سران لشکر را خواند و آن ها را از نامهٔ کیخسرو و فرمان های او باخبر کرد. طوس درفش کاویانی را که نشانهٔ فرماندهی

۱. جوشیدن: برآشفتن ؛ خشمگین شدن

۲. بردمیدن: تپیدن؛ به هیجان آمدن از غم یا از شادی

۳. نفرین: دشنام ؛ دعای بد ؛ لعنت ؛ نکوهش

سپاه بود، پیش فریبرز برد و به او سپرد و بی درنگ همراه با سپاهیانی که با خود برده بود به ایران برگشت.

کیخسرو طوس را به سردی پذیرفت و او را به سبب نافرمانی و کشتن فرود و اینکه سپاهیانش در هنگامهٔ جنگ، به بزم و میگساری نشسته بودند، سرزنش بسیار کرد. و به او گفت:

« نژاد منوچهر و ریشِ سپید ترا داد بر زندگانی امید
وُگرنه بفرمودمی تا سرت بداندیش[1] کردی به دور از برت »

و دستورداد که او را در خانهٔ خود زندانی کنند.

سپه سالاری فریبرز

فریبرز پس ازآنکه سپه سالار ایران شد، رُهّام را با این پیغام نزد پیران فرستاد که شبیخون زدن او به سپاه ایران، از جوانمردی دور بود و اکنون اگر پیران دست به جنگ نزنند، ایرانیان نخواهند جنگید. اما اگر سرِ جنگ دارد، آن ها نیز آماده اند. پیران در پاسخ پیغام فریبرز گفت که این جنگ را ایرانیان آغاز کردند و شمار بسیاری از تورانیان را کشتند. اما آن ها می توانند یک ماه در مرز توران بمانند، پس از آن باید یا به ایران برگردند یا برای جنگ آماده باشند.

فریبرز در آن یک ماه فرصتی که داشت، سپاهیان بسیار گرد آورد و آنان را برای جنگ آماده کرد.

---

۱. بداندیش: دژخیم ؛ جلاد

جنگ پَشَن و لاوَن

مهلت یک ماهه به پایان رسید. هردو سپاه آمادهٔ جنگ شدند. فریبرز خود در میانهٔ سپاه قرار گرفت. سمت راست را به گیو و سمت چپ را به اَشکَش (اشکس؛ اسکس) سپرد. فریبرز سپاهیان را به جنگ برانگیخت و به آن ها گفت که آن روز را خوب بجنگند و جهان را بر دشمنان تنگ کنند. بزودی سواران دست به تیرباران زدند. شمشیرهای الماسگون همچون آتش در میان گرد و خاک میدان جنگ می درخشیدند. گیو همراه با مردانِ خاندان خود از میان سپاهیان بیرون آمد. لَهّاک و فرشیدورد با او رودررو شدند. در سوی دیگر میدان، جنگ سختی میان گودرز و پیران در گرفت. هردو طرف، نخست با تیر و کمان و سپس با گرز و شمشیر به سختی جنگیدند. نهصد تن از خویشان پیران جان خود را از دست دادند. اما هیچ یک از دو طرف از میدان بیرون نرفت. هومان به فرشیدورد گفت:

« باید به فریبرز که در قلب سپاه است حمله کنیم تا او مجبور به گریز شود و ما بتوانیم به آسانی با گیو که در بخش راست سپاه است بجنگیم. »

با حملهٔ هومان به قلب سپاه، فریبرز از میدان گریخت. مردان همراه او نیزچندان مصمم به جنگیدن نبودند و پا به گریز گذاشتند. گودرز که همچنان همراه با گیو جنگ را ادامه می داد، همینکه درفش فریبرز را در میانهٔ سپاه ندید، عنان اسب خود را پیچاند تا از میدان دور شود. گیو او را از این کار بازداشت و گفت:

« اگر تو از برابر پیران بگریزی، از دلیران و بزرگان کسی زنده نخواهد ماند و همه سرشکسته خواهیم شد. در چنین هنگامه ای، باید ما را در حال رودررویی با دشمن ببینند، نه پشت کردن به او. می مانیم و مایهٔ ننگ خاندان کَشواد[1] نمی شویم. »

---

۱. کَشواد: پدر گودرز و پدربزرگ گیو

گودرز با شنیدن سخنان گیو و دیدن دلاوری های مردان خود، در میدان ماند. گُرازه و گُستَهم همراه با برنه (برته) و زنگهٔ شاوران نیز سوگند خوردند که به جنگ ادامه خواهند داد. با پایداری آن ها سپاه توران بسیاری از سرداران خود را از دست داد. گودرز که چنین دید، بیژن را نزد فریبرز فرستاد تا او را به میدان جنگ برگرداند. چرا که بودن او و درفش کاویانی در میدان، مایهٔ دلگرمی سپاهیان ایران و هراس دشمن بود. اما فریبرز به میدان برنگشت و از دادن درفش کاویانی به بیژن سر باز زد. و به بیژن گفت که سردارِ سپاه اوست و درفش کاویانی باید نزد او بماند. بیژن خشمگین، با شمشیر درفش را به دونیمه کرد و نیمه ای از آن را با خود به میدان برد.

هومان همینکه درفش کاویانی را در میان سپاه ایران دید، به مردان خود گفت که نیرو و توان جنگی ایرانیان در این درفش است و فرمان داد که برای به دست آوردن آن به بیژن حمله کنند. اما بیژن برای اینکه درفش کاویانی به دست تورانیان نیفتد، دلیرانه جنگید و شمار بسیاری از مردان سپاه توران را از پا درآورد.

در هنگامهٔ جنگ، ریونیز پسر کوچک کاوس که بسیار محبوب پدر و برادر بود، کشته شد. گیو که از کشته شدن او دلش به درد آمده بود، رو به سپاهیان ایران فریاد زد، که نباید تاج ریونیز به دست دشمن بیفتد. جدالِ سختی برای به دست آوردن تاج بین دو سپاه در گرفت، سرانجام بهرام، با نیزه به تورانیان حمله برد و با نوک سِنان[1] خود، تاج را برداشت و پیش ایرانیان برد.

جنگ همچنان به سختی ادامه یافت. از خاندان گودرز تنها هشت تن و از خاندان گیو بیست و پنج تن زنده ماندند. از خاندان کاوس هشتاد تن کشته شدند. در سپاه توران نیز پیران نهصد و افراسیاب سیصد تن از خویشان خود را از دست داد. با اینهمه آن روز، غلبه با پیران بود و

---

۱. سنان: بخش فلزی و تیز و برندهٔ سرنیزه

آنچه ایرانیان به دست آوردند، جز شکست و زیان نبود. ناچار کشتگان را رها کردند و از میدان جنگ گریختند.

در گیرودار گریز، اسب گُستَهم کشته شد. بیژن، در تاریکی غروب، گستهم را که پیاده از میدان جنگ دور می شد، دید. او را بر ترک اسب خود سوار کرد و هردو خود را به دامنهٔ کوه رساندند.

سپاهیان توران آن شب را شادمان از پیروزی، به میگساری گذراندند.

داستان بهرامِ گودرز

سپاهیان درهم شکستهٔ ایران به دامنهٔ کوه پناه بردند. کمی بعد، بهرام دریافت که هنگامی که برای به دست آوردن تاج ریونیز به میانهٔ میدان جنگ تاخته، تازیانهٔ خود را گم کرده است و بر آن شد که همان شب به میدان برگردد و آن را پیدا کند. چون نام او بر آن تازیانه نوشته شده بود و می دانست که فردای آن روز همینکه تورانیان آن را بیابند، او را مسخره خواهند کرد و او سرشکسته خواهد شد. گودرز به بهرام گفت که به خاطر پاره چرمی که به تکه چوبی بسته شده، بخت و زندگی خود را بر باد ندهد. گیو نیز رفتن بهرام را روا ندانست و گفت که تازیانهٔ سیاوش را که از رشته های نازک طلا و نقره بافته شده و فرِیکیس (فرنگیس) هنگام بازگشت از توران به او ارمغان داده، همچنین تازیانه ای را که کاوس شاه به او بخشیده، همراه با پنج تازیانهٔ زرنگار و گرانبهای خود به او خواهد داد، تا او دوباره به میدان برنگردد و مایهٔ آغاز جنگ دیگری نشود. اما بهرام که گم شدن تازیانه اش را مایهٔ ننگ می دانست، سوار بر اسب، به طرف میدان جنگ به راه افتاد.

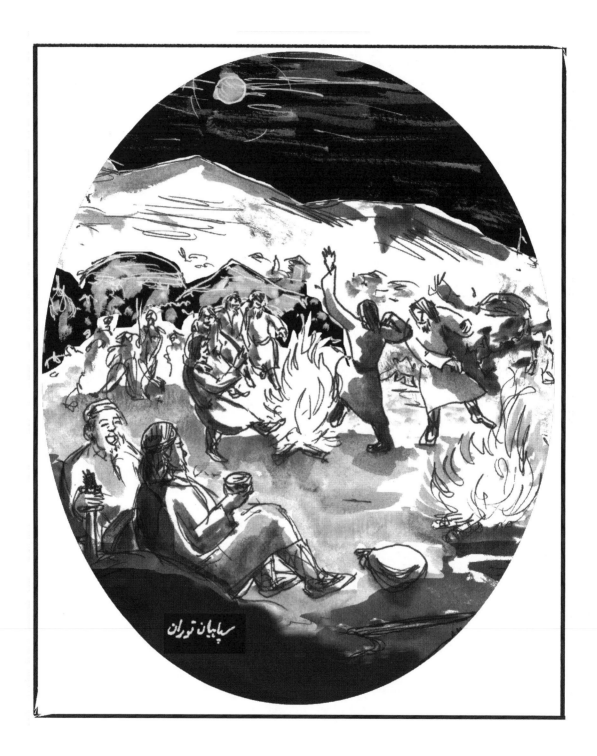

سپاهیان توران

آن شب مهتاب بود. بهرام انبوه کشتگان را دید که غرق در خون، بر خاک افتاده بودند، با چشم های اشکبار از میان آن ها گذشت و بر مرگشان افسوس خورد. ناگهان یکی از سپاهیان ایران را دید که مجروح بر خاک افتاده بود. مرد همینکه او را دید،

بدو گفت کای شیر! من زنده ام — برِ کشتگان ایدر[1] افگنده ام

سه روز است تا نان و آب آرزوست — مرا بر یکی جامه خواب[2] آرزوست

بهرام بی درنگ پیش رفت، پیراهن او را پاره کرد، زخمش را بست و به او گفت همین که تازیانه اش را پیدا کند، برمی گردد و او را به اردوگاه می برد.

کمی بعد بهرام تازیانه اش را درمیان تلّ کشته شدگان، در زیر خاک و خونی که بر زمین ریخته بود، یافت. از اسب پیاده شد و آن را برداشت. اما اسب بهرام با شنیدن شیههٔ مادیانی در اردوگاه تورانیان، رو به آنجا دوید. بهرام اسب را دنبال کرد، خود را به او رساند، سوار شد و کوشید او را به طرف اردوگاه ایرانیان برگرداند، اما اسب از او فرمان نبرد و همچنان بر جای خود ایستاده ماند. بهرام به ناچار او را پی کرد[3] و پیاده باشتاب بسیار از آنجا دور شد.

اما تورانیان با شنیدن سروصدای اسب ها، از بودن او در آن نزدیکی باخبر شده بودند. گروهی صدنفره از آن ها او را سواره دنبال کردند. بهرام بسیاری از آن ها را با تیرهای خود از پا درآورد. تورانیان نزد پیران برگشتند و او را از آن چه پیش آمده بود، باخبر کردند. پیران هنگامی که دانست آن مرد بهرام است، دستور داد تا رویین با چند سوار به میدان برود، بهرام را به بند بکشد و نزد او ببرد. در این رویارویی بهرام دلیرانه جنگید. رویین مجروح شد و سواران او درمانده و شگفت زده از توانایی بهرام، نزد پیران برگشتند.

---

۱. ایدر: اینجا

۲. جامه خواب : بستربرای خوابیدن

۳. پی کردن: رگ و پی پاشنهٔ چهار پا را بریدن تا از حرکت باز بماند.

پیران بی درنگ بر اسبی تندرو سوار شد، به نزدیکی بهرام رسید و به او گفت که چون بهرام دوست و همراه سیاوُش بوده، روا نمی داند که او کشته شود و خانواده و دودمان خود را سوگوار کند. و از او خواست که چون با تنِ تنها و بدون اسب، توان جنگیدن با سپاهی بزرگ را ندارد، به اردوگاه تورانیان برود و به آن ها بپیوندد. بهرام در پاسخ گفت که سه روز است که می جنگد و سخت خسته و گرسنه است و اگر پیران می خواهد به او مهربانی کند، اسبی به او بدهد تا بتواند به اردوگاه ایرانیان برگردد. پیران گفت:

« اگر من این کار را بکنم، سربازان تورانی، آن را ننگ خواهند دانست و نخواهند پذیرفت. چرا که تو شمار بسیاری از یاران آن ها را کشته ای. »

پیران با همهٔ دلبستگی و مهری که به بهرام داشت، ناچار به اردوگاه برگشت. تژاو هنگامی که از آنچه پیش آمده بود، باخبرشد، به پیران گفت که او با آن مهربانی که دارد، کاری از پیش نخواهد برد.

شوم گر[1] پیاده به چنگ آرمش　　　سر اندر زمان زیر سنگ آرَمَش[2]

تژاو به بهرام نزدیک شد و او را دید که نیزه در دست ایستاده است. فریاد زد:

« می خواهی به تنهایی با چندین سوار تورانی بجنگی و با سرافرازی به ایران برگردی؟ همین جا بمان! تو بسیاری از بزرگان سپاه ما را نابود کرده ای، هنگام آن است که زندگی تو نیز به پایان برسد. »

آنگاه به همراهان خود دستور داد که با تیر و نیزه و خنجر به بهرام حمله کنند. لشکری انبوه گرد بهرام جمع شده بودند. بهرام با تیر و کمان با آن ها مقابله کرد. هنگامی که تیرهایش

---

۱. اگر: چنانچه

۲. سرکسی زیر سنگ آوردن : مغلوب کردن و کشتن کسی

تمام شد، با نیزه و همینکه نیزه اش شکست، با گرز و شمشیر جنگید. دشت به دریای خون بدل شد. جنگ ادامه یافت. سرانجام بهرام توش و توان خود را از دست داد. تژاو از پشت سر به او نزدیک شد، با شمشیر ضربه ای بر شانهٔ او زد. بهرام از پا در آمد.

تژاوِ ستمکاره را دل بسوخت　　　به کردارِ آتش دلش برفروخت
بپیچید از او روی[1]، پر درد و شرم　　　به جوش آمدش در جگر خونِ گرم

رفتن گیو و بیژن به جست و جوی بهرام

گیو که از دیر آمدن بهرام نگران شده بود، به بیژن گفت که بهتر است بروند تا ببینند برای او چه پیش آمده است؟ پس از جست و جو، بهرام را که در میان خاک و خون افتاده بود، در میان انبوه مجروحان و کشتگان، یافتند. بهرام با شنیدن سروصدای آن ها چشم باز کرد و به گیو گفت:

« پیران و دیگر بزرگان و دلیران توران، به پاس دوستی با سیاوش، به من آسیبی نرساندند، این تژاو بود که آشنایی را فراموش کرد و مرا از پا درآورد. »

و از برادرش خواست که کین او را از تژاو بگیرد. گیو اشکریزان به آفریدگار و به شب نیلگون و خورشیدِ روز سوگند یاد کرد که تا زمانی که کین بهرام را نگیرد، کلاهخود را از سر برندارد.

آن شب تژاو نگهبان سپاه توران بود. گیو شمشیر در دست، بر اسب نشست. همین که تژاو را از دور دید، اسب خود را به طرف او راند. و هنگامی که تژاو از سپاهیان دور شد، با کمند او را

---

۱. روی پیچیدن: روی برگرداندن

از اسب بر زمین انداخت. دست های تژاو را بست و همچنانکه او را سرزنش می کرد که با کشتن بهرام، درختی تازه از دشمنی و کینه کاشته، او را به بالین بهرام کشاند. تژاو که گمان می کرد، بهرام جان داده است، گفت که پیش از آنکه او به آنجا برسد، گروهی از سپاهیان چین، بهرام را از پا درآورده ا ند.

گیو رو به بهرام کرد و گفت:

« مکافات بدی تژاو را در پیش چشم تو خواهم داد. »

درخواست های تژاو از گیو برای اینکه او را ببخشد، سودی نداشت. بهرام نیز از گیو خواست که تژاو را نکشد، تا پیوسته او را به خاطر بیاورد. اما گیو که با دیدن زخم های برادر، سخت برآشفته و پریشان بود و برای خونخواهی او سوگند خورده بود، با شمشیر سر تژاو را از تن جدا کرد.

با اینهمه دل گیو هم از کشتن تژاو، هم از کشته شدن برادر، سخت به درد آمده بود،

خروشی برآورد کاندر جهان — که دید این شگفت آشکار و نهان،

که گر من کُشم یا کسی پیش من — برادر بود کشته یا خویش من

بهرام چند لحظه بعد جان داد.

گیو، پیکر برادر را بر اسب تژاو بست و همراه با بیژن به اردوگاه ایرانیان برد. در آنجا بهرام را با حریر چینی پوشاند، همچون پادشاهان بر تختی از عاج خواباند، تاجی بالای سر او آویخت و او را در دخمه ای گذاشت.

درِ دخمه را کرد سرخ و کبود — تو گفتی که بهرام هرگز نبود

گریختن سپاه ایران از پیش پیران ویسه

ایرانیان پس از این شکست بر آن شدند که نزد کیخسرو برگردند تا اگر فرمان به ادامهٔ جنگ بدهد، بار دیگر سپاهی فراهم کنند. پیران سراپرده ها و خیمه هایی را که از آن ها برجا مانده بود، به لشکریان توران بخشید و پیکی نزد افراسیاب فرستاد تا خبر پیروزی را به او برساند. افراسیاب دستور داد تا سرتاسر راه را آذین بستند و هنگامی که پیران به نزدیکی شهر رسید، به پیشواز او رفت. دو هفته پیران را مهمان کرد. پس از آن خلعتی بزرگ به او بخشید و به او گفت که با آنکه ایرانیان شکست خورده اند، تورانیان از آن ها در امان نیستند و پیران باید کارآگهانی خردمند به همه جا بفرستد تا پیوسته از آن ها به او خبر بدهند. زیرا از دشمن شکست خورده نمی توان ایمن بود؛ کیخسرو پادشاهی بزرگ و قدرتمند است، ثروت فراوان دارد و بی تردید خود را برای جنگی دوباره آماده خواهد کرد. و افزود:

به جایی که رستم بود پهلوان   تو ایمن بخسبی، بپیچد[1] روان

---

۱. پیچیدن : در بلا و سختی افتادن

داستان کاموس کَشانی

سپاهیان شکست خوردهٔ ایران در راه بازگشت، به سپد کوه و کلات رسیدند، آن جنگ بیهوده و ناروا را به یاد آوردند و با چشم گریان و دلی پشیمان از آنجا گذشتند. چند روز بعد بیمناک و شرمنده به بارگاه کیخسرو رسیدند، اما او که از نافرمانی طوس و کشته شدن فرود و شکست ایرانیان، سخت برآشفته و غمگین بود، سرداران سپاه را نپذیرفت. به خلوت خود پناه برد و با آفریدگار از دردی که بردل و جانش نشسته بود و از اینکه جنگ نارواي طوس با فرود، مایهٔ خشم آفریدگار شد و برای سپاه ایران شکست و برای خاندان گودرز، مصیبت به بار آورد، زاری کرد:

دریغ آن فرود سیاوُش، دریغ — که با زورِ دل بود و با گرز و تیغ
بسان پدر کشته شد بی گناه — به دست سپهدارِ من با سپاه
به گیتی نباشد کم از طوس کس — دُرُست[1] از درِ[2] پای وند[3] است و بس
نه در سرش مغز و نه در تنش رگ — چه طوس فرومایه پیشم، چه سگ!

---

۱. درست: به طور مسلم

۲. از در: سزاوار

۳. پای وند ؛ پای بند: بندی که به پای مجرمان می بستند.

سرداران سپاه با درماندگی به رستم رو آوردند و به او گفتند که هیچکدام قصد جنگیدن با فرود را نداشتند. کشته شدن پسر و داماد طوس آن ها را واداشت که دست به آن جنگ بیهوده بزنند و از رستم درخواست کردند که نزد کیخسرو برود، با او سخن بگوید و از خشم او بکاهد تا با آن ها آشتی کند.

صبح روز بعد، رستم برای پایمردی[1] به بارگاه کیخسرو رفت. و گفت که آنچه طوس را به جنگ با فرود بر انگیخته، کشته شدن پسر و داماد او بوده است. علاوه بر این، پس از پادشاه شدن کیخسرو، فرود نزد پادشاه نیامده بود و به او نپیوسته بود و همین مایهٔ بدگمانی سپاهیان ایران شده بود. و خواهش کرد که طوس و دیگران را به او ببخشد. کیخسرو در پاسخ رستم گفت که با آنکه از کشته شدن برادرش سخت افسرده و خشمگین است، اما سخنان او را می پذیرد. طوس و سرداران به بارگاه آمدند، از پادشاه پوزش خواستند و کیخسرو آن ها را بخشید.

به زودی طوس همراه با گیو و دیگر سرداران نزد کیخسرو آمد. شاه جوان را ستایش و دعا کرد و بار دیگر با شرمندگی از او پوزش خواست و گفت که اگر کیخسرو موافق باشد، او و پهلوانان سپاه برای جبران شکستی که پیش آمده، به جنگ تورانیان خواهند رفت. کیخسرو از سخنان او شادمان شد. و پس از رای زدن با رستم، چند روز بعد همهٔ سرداران ایران را به بارگاه پذیرفت. نخست از کینهٔ دیرینه ای که سلم و تور با کشتن ایرج در دل ایرانیان پدید آورده بودند و از جنگ هایی که بر سر آن کار میان ایران و توران درگرفته بود و خون هایی

---

۱. پایمردی: شفاعت

که از ایرانیان ریخته شده بود، سخن گفت و افزود که از آن زمان تاکنون، در هیچ یک از جنگ ها، چنین ننگی برای ایرانیان پیش نیامده بود،

همه کوه از این خونِ ایرانیان — به زُنّارِ خونین ببندد میان[1]

همان مرغ و ماهی برایشان به زار — بگرید به دریا و بر جویبار

سرداران سپاه؛ رُهّام و گرگین و گودرز و طوس و خَرّاد و زنگهٔ شاوران، بیژن و گیو، یک صدا گفتند که بندهٔ پادشاهند و همینکه او فرمان جنگ بدهد، جان خود را فدا خواهند کرد. کیخسرو دستور داد که گیو در این جنگ با طوس همراه شود و طوس بدون رایزنی با او، دست به هیچ کاری نزند. و از بهرام یاد کرد که تن به ننگ نداد و مرگ را پذیرفت.

رفتن طوس و گودرز به جنگ پیران

کیخسرو با جست و جو در گردش ستارِگان، روزی را که برای آغاز جنگ فرخنده بود، یافت و فرمان داد که طوس سپاه را به دشت ببرد. در آنجا لشکریان از برابر کیخسرو گذشتند. آنگاه آنچنانکه آیین پادشاهان ایران بود، درفش کاویانی را به دست طوس داد و برای او دعا کرد. طوس و سپاهیانش به راه افتادند. با به صدا درآمدن شیپورها، اسب ها به حرکت در آمدند و از گرد و خاکِ سُمّ آن ها ابری سیاه تا آسمان بالا رفت. انگار خورشید در آب غرق شد و آسمان و ستاره به خواب رفتند.

طوس سپاه را به کنار رود شهد رساند و بی درنگ پیکی نزد پیران فرستاد تا به او خبر بدهد که با آمادگی بسیار برای جنگ با او آمده است. پیران از شنیدن این پیغام سخت غمگین شد.

---

۱. زنار: کمربند مخصوص زردشتیان و به معنی مطلق کمربند؛ میان به زُنّارِ خونین بستن: آماده جنگ و خونریزی و انتقام شدن

چرا که جنگیدن با کیخسرو را که پسر سیاوش و پروردهٔ خود او بود، خوش نداشت. کسی را فرستاد تا به طوس بگوید که او نیز از کشته شدن سیاوُش دلی اندوهگین دارد. همچنین یاری ها و همراهی هایی را که به فرِیگیس و سیاوش کرده و درد و رنجی را که از آن همه نصیب او شده بود، یادآوری کند.

طوس سخنان فرستاده را شنید. همه را درست و بجا دید و با پیران احساس همدلی کرد. در پاسخ پیران گفت که از مهربانی ها و همراهی هایی که او به کیخسرو و مادرش کرده، آگاه است و دشواری های کار او را نیز می داند. از این رو بهتر می بیند که پیران با سپاهیان خود نزد کیخسرو به ایران بیاید. بی گمان پادشاه ایران او را سردار سپاه خواهد کرد و نیکی های او را پاداش خواهد داد. اما پیران که عهدشکنی با افراسیاب را ناجوانمردی و مایهٔ بدنامی می دید، همان شب پیکی نزد او فرستاد تا از آمدن سپاه ایران و تمهیدها و فریب هایی که برای جلوگیری از آغاز جنگی دوباره به کار برده بود، به او خبر دهد. و درخواست کرد که افراسیاب، سپاهی از مردان جنگی دلاور فراهم آورد و برای جنگ با ایرانیان نزد او بفرستد، تا ایرانیان را یکسره از میان بردارند وگرنه پادشاه و سپاهیان توران هرگز از جنگ های کینخواهی سیاوُش رهایی نخواهند یافت.

ده روز بعد، سپاه بزرگی که افراسیاب فراهم کرده بود، به یاری پیران آمد. با رسیدن آن ها، پیران، اندیشهٔ آشتی کردن با کیخسرو را یکسره کنار گذاشت و سپاهیان تازه نفس را به کنار رود شهد کشید. هردو سپاه با هم رودررو شدند. جنگی سخت درگرفت:

سرِ سروران زیرِ گرزِ گران چو سندان بُد و پُتکِ آهنگران
بسی سر گرفتار دامِ کمند بسی خوار گشته تنِ ارجمند
کفن جوشن و بستر از خون و خاک تنِ ناز دیده به شمشیر، چاک
زمین ارغوان و هوا آبنوس سپهر و ستاره پر آوای کوس

از میان سپاهیان توران، سواری بلندآوازه به نام ارژنگِ زره به میدان آمد و از ایرانیان هماورد[1] خواست. طوس با جوش و خروش بسیار، به طرف او تاخت و نام او را پرسید. ارژنگ گفت:

« من ارژنگ پسر زره ام. هم اکنون زمین را به جنب و جوش خواهم آورد و سرهای بسیار بر میدان جنگ خواهم افشاند. »

طوس بی آنکه به خودستایی های او پاسخ دهد، شمشیر کشید و سر او را از تن جدا کرد. سپاه ایران شادان از پیروزی طوس، شیپورها و طبل ها را به صدا درآوردند. هومان و دیگر پهلوانان و سرداران تورانی، خشمگین از کشته شدن ارژنگ، بر آن شدند که همگی با هم تا آنجا که در توان دارند، بجنگند، خود را به آن طرف رود برسانند و کار جنگ را همان روز تمام کنند.

جنگ طوس با هومان

هومان بی درنگ نیزه در دست، به میدان تاخت. طوس نیز به طرف او آمد و با تمسخر گفت:

« پسران ویسهٔ بدبخت، هرگز در جنگ پیروز نخواهند شد. من توان خود را به ارژنگ که پهلوانی پرآوازه بود، نشان دادم. تو اکنون با نیزه برای کینخواهی او آمده ای؟ به جان و سر

---

۱. هماورد: هم نبرد ؛ حریف جنگی

پادشاه ایران که همچون پلنگی که از بلندای کوه به شکارش حمله می کند، بی هیچ سلاحی با تو خواهم جنگید تا ببینی که مردان دلیر چگونه می جنگند. »

هومان پاسخ داد:

« من از ارژنگ نیرومندترم! اگر سرنوشت ارژنگ این بوده که به دست تو کشته شود، آن را نشانۀ توانایی خود مگیر. »

و با تمسخر افزود:

« دلیران ایران شرم ندارند که سالار سپاهشان به میدان آمده؟ تو سپه سالار و از نژاد پادشاهانی و باید درفش کاویان را نگه داری نه اینکه به میدان بیایی. بیژن و گیو کجا هستند؟ ببین پادشاه به کدامیک از سرداران خلعت و وعدۀ تاج و انگشتر داده، برای شکست دادن من، آن ها را به میدان بفرست! اگر تو کشته شوی، سپاهیان بی یار و یاور خواهند ماند. »

و افزود که طوس، پس از رستم نامدارترین سردار ایران است و هومان دوست ندارد که در میدان جنگ با مردان بزرگی چون او رودررو شود. بهتر است سوار دیگری برای جنگ با او بیاید. طوس در پاسخ او گفت:

« من، هم سالار سپاهم و هم مرد جنگی. تو نیز سردار بزرگ سپاه تورانی و نباید به جنگ من می آمدی. حال نیز پند مرا بپذیر. زندگی خود را بر باد مده، همراه با پیران و خویشان و بستگان خود، نزد کیخسرو بیا. هیچیک از کسانی که در کشتن سیاوُش گناهکار بوده اند، از چنگ ما رهایی نخواهند داشت. بگذار آن هایی که سزاوار کشته شدن هستند، بجنگند. »

و گفت که چون پیران یار و دوستدار و پرورندۀ کیخسرو بوده، به دستور پادشاه ایران در این جنگ نباید آسیبی ببیند. و از هومان خواست که برادرش را به آمدن به ایران و پیوستن به

۶۴

کیخسرو وا دارد. هومان گفت که پیران نیز این جنگ را خوش ندارد اما همهٔ آن ها به ناچار باید به آنچه افراسیاب فرمان می دهد، گردن بگذارند.

گیو که از گفت و گوی طولانی طوس و هومان به خشم آمده بود، به طرف آن ها تاخت و از طوس پرسید:

« این تورانی فریبکار چه می گوید؟ در جست و جوی راهی برای آشتی مباش و جز از جنگ با او سخن مگو! »

هومان با شنیدن سخنان گیو، پرخاش کنان به او گفت:

« خاندان کَشواد همگی سر به فرمان شمشیر من گذاشته اند. بخت تو نیز در این جنگ همچون روی اهریمن سیاه است. خانهٔ تو جاودانه پر از شیون و زاری خواهد شد. من اگر هم به دست طوس کشته شوم، پیران و افراسیاب هستند و به کینخواهی من خواهند آمد. بهتر است تو به جای پرخاش با طوس، در مرگ برادرت بهرام اشک بریزی. »

طوس رو به هومان کرد و گفت:

« بیهوده با او پرخاش مکن! در این میدان، من همنبرد توام. پیش بیا تا با هم بجنگیم! »

هومان گفت:

« اگر قرار است مرگ من در میدان جنگ باشد، چه بهترکه به دست سپه سالاری دلیر، کشته شوم. »

گرفتند هر دو عمود[1] گران — همی حمله برد آن برین، این بر آن

از آن چاک چاکِ[2] عمودِ گران — سرانشان چو سندانِ آهنگران

---

۱. عمود: گرز

۲. چاک چاک : چکاکاک : صدای برخورد پیاپی ابزار جنگی فلزی به یکدیگر

گرزهایشان خم شد. با شمشیر جنگیدند. شمشیرها تکه تکه شد. دهان هایشان پر از خاک و تن هایشان غرق عرق بود. کمربندهای یکدیگر را گرفتند و با نیروی بسیار به هم آویختند. کمربند هومان پاره شد، از دست طوس جَست و بر اسبی تازه نفس سوار شد. طوس او را زیر باران تیرهای خود گرفت. یکی از تیرها به اسب هومان خورد و از پا افتاد. سواران سپاه توران که او را پیاده دیدند، اسب دیگری برای او بردند. هومان سوار شد تا همچنان به جنگ ادامه دهد. اما شب شده بود. یاران هومان به او گفتند که بهتر است دست از جنگ بکشد. هومان به اردوگاه نزد پیران برگشت و به او گفت امروز جنگ سختی با طوس داشته، اما فردا روز پیروزی آن هاست.

شب هنگام هردو سپاه نگهبانانی برای حفاظت اردوگاه ها گماشتند. صبح روز بعد هومان سپاهیان توران را آماده کرد و با سخنان خود، آن ها را به جنگ با ایرانیان برانگیخت. اما در اردوگاه ایرانیان، طوس که شمار بسیارِ سپاهیان توران او را به هراس انداخته بود، در اینکه جنگ را آغاز کند، دو دل بود و بهتر می دید که همانجا بمانند و دست به جنگ نزنند. گودرز به او دل داد و گفت اگر آفریدگار با آن ها یار باشد، پیروز خواهند شد.

جنگ دوم طوس با پیران

سرانجام طوس لشکریان ایران را به میدان آورد. جنگ درگرفت؛

چو دریای خون شد همه دشت و راغ [1]   جهان چون شب و تیغ ها چون چراغ

طوس که همچنان مردد و بیمناک بود، به گودرز گفت که ستاره شناسی به او گفته است که جنگ آن روز تا دیرگاهِ شب به درازا خواهد کشید. چه بسا امروز، پیروزی با تورانیان باشد.

---

۱. راغ: دشت و صحرا

هنگامی که هومان با سواران خود رودرروی ایرانیان قرار گرفت، قرار شد که هر یک از سرداران ایران با سرداری از سپاه توران بجنگد. گرازه با نَهِل، رُهّام با فرشیدورد، شیدوش با لَهّاک، بیژن با گلباد، گیو با شیطرج (شطرج؛ شطرخ)، گودرز با هومان و طوس با پیران رودررو شدند.

جنگ بدینگونه ادامه یافت.

داستان بازور جادوی

در میان سپاهیان توران مردی جادوگر بود که بازور نام داشت. آن روز پیران او را بالای کوه فرستاد تا با جادویی که می دانست، باد و سرمایی سخت پدید آوَرَد و بر سپاه ایران برف ببارد. پس از آن به تورانیان فرمان حمله داد. اما سرما و برف توان جنگیدن را از ایرانیان گرفت.

در و دشت یکسر پر از برف و خون — سُواران ایران فگنده نگون
ز کُشته نبد جایِ گشتن به جنگ — ز برف و ز افگنده، شد جای تنگ
سیه گشته بر دستِ[1] شمشیر، دست — به روی اندر افتاده بر سانِ مست

طوس و دیگر سران سپاه دست به دعا برداشتند و از آفریدگار خواستند آن ها را یاری دهد و برف و سرما را از میان بردارد.

در این موقع مرد خردمندی که در میان سپاه بود، بازور را در بالای کوه در کار جادوگری دید و او را به رُهّام نشان داد. رُهّام بی درنگ به طرف او تاخت. در دامنهٔ کوه از اسب پیاده شد.

---

۱. دست: دسته

بازور جادوگر
سپاهیان ایران

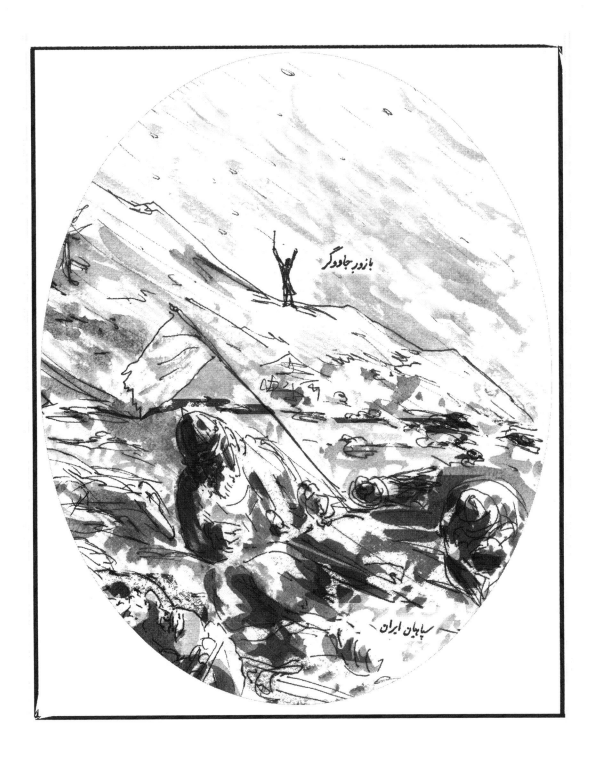

بازورکه او را دیده بود، گرز در دست پیش رفت. هنگامی که به یکدیگر نزدیک شدند، رُهّام شمشیر کشید و یک دستِ بازور را از تن جدا کرد. بادی تند وزید و ابرهای سیاه را با خود برد. رُهّام همچنانکه بازوی مرد جادوگر را به دست گرفته بود، از کوه پایین آمد، سرما و برف یکسره از میان رفت. آسمان آبی شد و خورشید همچون پیش درخشید.

اما کشتگان سپاه ایران بسیار بودند و دشت از سرهای بی پیکر و پیکرهای بی سر آن ها پر بود. گودرز بر آن بود که نیروی خود را جمع کنند و با حمله ای ناگهانی، تورانیان را از پا درآورند. اما طوس گفت:

« جنگ را آغاز نمی کنیم. منتظر حملهٔ تورانیان می مانیم. »

بزودی تورانیان جنگ را آغاز کردند. ایرانیان کشتهٔ بسیار دادند. در این هنگامه که طوس و دیگر سرداران سخت با دشمن درگیر بودند، بسیاری از سپاهیان از میدان گریختند. طوس، گیو را به دنبال آن ها فرستاد. سواران برگشتند. اما هنگام غروب بود و بزودی شب از راه می رسید. طوس دستور داد ایرانیان دست از جنگ بکشند، جایی دور از میدان جنگ، استراحت کنند و کشته شدگان را به خاک بسپارند.

شب هنگام که ماه از کوه بالا آمد و همچون پادشاهی پیروز بر تخت آسمان نشست، پیران به سپاهیان خود نوید داد:

« از ایرانیان شمار اندکی زنده مانده اند، فردا با یک حمله می توانیم آنان را نابود کنیم. »

تورانیان در زیر نور ماه بزمی آراستند.

همه شب از آوای چنگ و رباب	سپه را نیامد بر آن دشت خواب

ایرانیان دل شکسته و سوگوار آتشی روشن کردند و به مداوای مجروحان پرداختند. شمار بسیاری از خاندان گودرز کشته شده بودند و او از اینکه پس از یک عمر جنگیدن، اکنون در پیری، کشتهٔ پسرانش را در پیش رو می دید، سخت اندوهگین بود. طوس و سرداران همگی با او همدردی کردند.

پس از آنکه کشتگان را به خاک سپردند، طوس پیکی نزد کیخسرو فرستاد و از او درخواست کرد که رستم را به کمک آن ها بفرستد. و سرانجام بر آن شد که سپاه را به کوه هماون ببرد.

گریختن طوس به کوه هماوَن

سپاهیان ایران شب هنگام به راه افتادند و هنگام برآمدن آفتاب، سوگوار و اشکریزان به کوه هماوَن رسیدند. طوس که می دانست پیران آن ها را دنبال خواهد کرد، شمار اندکی از سپاهیان را به بیژن سپرد و نگهبانانی برای محافظت از سپاه به پایین کوه فرستاد. و به گودرز گفت که مجروحان را به دژ بالای کوه ببرد تا پس از چند روز جنگ، استراحت کنند.

با برآمدن آفتاب، هومان سپاه توران را آماده کرد و به میدان جنگ برد، اما هنگامی که به آنجا رسید، از ایرانیان تنها خیمه هایی خالی برجا مانده بود. کسی را نزد پیران فرستاد تا به او مژدهٔ گریختن ایرانیان را بدهد.

پیران شادمان از این خبر، با بزرگان سپاه توران دربارهٔ ادامهٔ جنگ به رایزنی پرداخت. سرداران بر آن بودند که اکنون که دشمن شکست خورده و گریخته است، جای درنگ نیست و باید آنان را دنبال کرد. اما پیران عقیده داشت که جنگ، جای شتاب نیست و چه بسا که

شتاب از درنگ وا می مانَد و شکست به بار می آوَرَد و از آنجا که افراسیاب از چند کشور کمک خواسته بود، بهتر می دید که منتظر بمانند، تا سپاهیان آن ها از راه برسند. هومان گفت که ایرانیان از درماندگی خیمه ها را رها کرده و رفته اند، اگر تورانیان درنگ کنند، خود را به کیخسرو می رسانند و لشکری تازه نفس فراهم می آورند، بی تردید، رستم نیز با آن ها همراه خواهد شد و رودررویی با او بسیار دشوار خواهد بود.
سرانجام پیران پذیرفت که جنگ را ادامه دهند.

پیران نخست دویست سوار را به لَهّاک سپرد تا به جست و جوی سپاه ایران برود. نیمه شب لهّاک به نزدیکی کوه هماوَن رسید. نگهبانان ایرانی ، سپاهیان را ازآمدن او باخبرکردند، اما لهّاک درنگ نکرد و بزودی خبر پناه گرفتن ایرانیان را در کوه هماوَن به پیران رساند. پیران دستور داد تا هومان با شماری از لشکریان به کوه هماوَن برود و با آن ها بجنگد. وبه اوگفت که حال که ایرانیان در آنجا پناه گرفته اند، پیروزی بر آن ها دشوار شده است، اما اگر هومان بتواند درفش کاویانی را از آن ها بگیرد و آن را پاره پاره کند، شکست دادن آن ها آسان خواهد بود. و افزود که خود او نیز بی درنگ به کمک هومان خواهد رفت.

هومان سی هزار سپاهی شمشیرزن برگزید و آن ها را به دامنهٔ کوه هماوَن برد. همینکه دیدبان خبر رسیدن آن ها را داد، سواران ایران به فرمان طوس، پایین کوه صف کشیدند و آمادهٔ جنگ شدند. هومان پیش رفت و گودرز و طوس را سرزنش کرد که با ابزار جنگی بسیار برای خونخواهی به توران آمده اند و اکنون درمانده و شکست خورده، از سر بیچارگی

همچون شکاری ناتوان به کوه پناه برده اند. اما این چاره به جایی نخواهد رسید و هومان بزودی آن دژ را بدل به دریای آب خواهدکرد.

هومان در همان حال پیکی نزد پیران فرستاد تا به او خبر بدهد که آنگونه که گمان می کرده، ایرانیان چندان ناتوان نیستند و همگی برای جنگ آماده اند و پیران باید سحرگاهِ روز بعد، همراه با برآمدن آفتاب با سپاه فراوان خود را به آنجا برساند.

آمدن پیران ویسه نزد هومان

پیران با شنیدن پیغام هومان، شبانه با لشکری بزرگ به طرف کوه هماوَن به راه افتاد و سحرگاه ، هنگامیکه خورشید چادر سیاه شب را درید، به آنجا رسید. اما به هومان گفت که پیش از آنکه جنگ را آغاز کنند، باید بدانند که طوس چرا به آنجا آمده، به چه امیدی در این کوه مانده و بار دیگر درفش کاویانی را بر افراشته است. پس به طرف سپاه ایران رفت و رو به طوس فریاد زد:

« پنج ماه است که در حال جنگیدنی. بزرگان خاندان گودرز را به کشتن داده ای و سودی به دست نیاورده ای. حال همچون میش کوهی به کوهسار پناه برده ای. اما بزودی به دام خواهی افتاد. »

طوس گفت:

« ما در جست و جوی علف برای اسبان خود به اینجا آمده ایم. به پادشاه ایران هم خبر داده ایم تا با رستم و زال نزد ما بیایند. همینکه آن ها برسند، از توران چیزی بر جا نخواهیم گذاشت. »

پیران با شنیدن این سخنان، بی درنگ دستور داد که راه کوه را ببندند تا ایرانیان به دشت دسترسی نداشته باشند و اسب هایشان گرسنه بمانند. و به هومان که می خواست سپاه توران را برای جنگ از کوه بالا ببرد، گفت که در آنجا جهت وزشِ باد به طرف سپاه توران است و جنگیدن برای سواران دشوار خواهد بود. بهتر است شتاب نکنند. ایرانیان هنگامی که نتوانند برای اسبان خود علف فراهم کنند، ناچار دسته دسته از کوه پایین خواهند آمد و از آن ها زنهار خواهند خواست.

روز بعد، پیران جنگ را آغاز نکرد و طوس و گودرز، به آنچه او در سر داشت، پی بردند. گودرز به طوس گفت که چون علوفه ای که برای اسبان خود دارند، تنها برای سه روز کافی است، چاره ای جز این ندارند که به سپاه توران شبیخون بزنند. یا کشته می شوند یا آن ها را شکست خواهند داد. طوس پذیرفت و بی درنگ بخشی از سپاه را به بیژن و بخشی دیگر را به شیدوش و خَرّاد سپرد، درفش کاویانی را به گستهم داد و خود برای جنگ شبانه با تورانیان آماده شد.

تاختن طوس و گیو و رُهّام بر سر تورانیان

آن شب طوس همراه با گیو و رُهّام و چند تن از سرداران ایران به سپاه توران حمله کردند. هومان با شنیدن سروصدای سپاهیان، بیدار شد و فریادکنان سپاهیان خود را از اینکه غافلگیر شده بودند، سرزنش کرد و فرمان داد که راه را بر آن ها ببندند. سواران ایران گرداگرد تورانیان را گرفتند و جنگ را آغاز کردند.

هومان دستور داد که هیچ یک از ایرانیان را نکشند و زخمی نکنند و همه را دست بسته پیش او ببرند. و ایرانیان را تهدید کرد که جایی برای جنگیدن و راهی برای گریز ندارند.

طوس و گیو و رُهّام هرچند در تنگنا مانده بودند و سپاهشان اندک بود، به خوبی جنگیدند. جنگ به درازا کشید. شیدوش و گستهم از دیر آمدن آن ها نگران شدند. در تاریکی شب خود را به پایین کوه رساندند. با کمک آن دو، جنگ تا صبح ادامه یافت. با برآمدن آفتاب، پهلوانان ایران به کوه و پیران و سوارانش به اردوگاه خود برگشتند.

صبح روز بعد هنگامی که هومان انبوه کشتگان سپاه خود را دید به پیران گفت:

« امروز از جنگ بهره ای دلخواه نبردیم. اما همینکه سواران ما استراحت کنند، آنچنان خواهم جنگید که خورشید و ماه هرگز ندیده اند. »

آگاهی یافتن کیخسرو از شکست سپاه ایران

هنگامی که خبر شکست طوس و کشته شدن مردان بسیار از خاندان گودرز و پناه بردن بازماندهٔ سپاه ایران به کوه هَماوَن به کیخسرو رسید، رستم را به بارگاه خواست و او را از آنچه بر سپاه ایران گذشته بود، باخبر کرد. و پس از ستودن دلاوری های رستم از او خواست که به یاری طوس و دیگر سران سپاه ایران برود. رستم پادشاه را ستایش کرد و گفت که از پادشاهی کیقباد تا آن روز، پیوسته برای جنگیدن با دشمنان ایران آماده بوده و یک روز هم آرام ننشسته است. در این راه از بیابان های دراز و تاریکی های ترسناک گذشته و جنگ با پیلان و شیران و جادوگران را از سر گذرانده است و اکنون نیز آمادهٔ فرمان کیخسروست.

کیخسرو دستور داد تا گنجور[1] ابزار جنگ و دینار و درهم بسیار پیش او آورد تا هر آنچه رستم نیاز داشت، به او بدهد. و به او گفت که صدهزار سوار شمشیرزن با خود ببرد و سپه سالاری را به فریبرزِ کاوس بسپارد. رستم بزودی سپاه را آماده کرد. بخشی از آن ها را به فرماندهی فریبرز به کوه هماون فرستاد تا پیش از او آن ها را به طوس برساند. کمی بعد، خود او نیز با سپاهی بزرگ به راه افتاد. کیخسرو دو فرسنگ با او و سپاهیانش همراه شد و به شهر برگشت.

رستم سپاه را شب و روز به طرف کوه هماون راند.

خواب دیدن طوسِ نوذر

یک شب که طوس با دلی غمگین و پردرد خوابیده بود، در خواب دید که شمعی روشن و فروزان از دریا بالا آمد. در کنار شمع، سیاوش را دید که شادمان و خندان، بر تختی از عاج نشسته است. سیاوش به او گفت که با ایرانیان در همانجا بماند. زیرا پیروزی او در جنگ حتمی است. از کشته شدنِ فرزندان گودرز نیز غم به دل راه ندهد، چرا که هم اکنون او و همهٔ پسرانِ گودرز در گلستانی پر گل به می خوردن نشسته اند. طوس شاد و سرخوش از خواب بیدار شد. آنچه را در خواب دیده بود برای گودرز گفت و آن را نشانه ای از رسیدن رستم دانست. پس فرمان داد تا سپاه ایران برای جنگ آماده شوند.

---

۱. گنجور: نگهبان گنج

اما پیران با آنکه سپاه توران را آماده کرد، دست به جنگ نزد و به هومان گفت که در شبیخونی که شب پیش ایرانیان بر آن ها زدند، با آنکه سه تن بیشتر نبودند، سپاه توران بسیاری از سواران خود را از دست داد. بهتر است شتاب نکنند. چرا که ایرانیان از سر ناچاری به کوه پناه برده اند. و اگر تورانیان همچنان راه را بر آن ها ببندند. با تمام شدن آذوقه شان، از کوه پایین خواهند آمد و تسلیم و اسیر تورانیان خواهند شد.
طوس نیز از اینکه تورانیان جنگ را آغاز نکرده بودند، نگران بود؛ آذوقهٔ چندانی برای سپاه باقی نمانده بود و او بهتر می دید که دست به جنگ بزنند. گودرز نیز با او همداستان بود[1]. هردو بر آن شدند که صبح روز بعد جنگ را آغاز کنند.

صبحگاه روز بعد، فرستاده ای از سوی افراسیاب نزد پیران آمد و خبر داد که خاقان چین، سپاهی بزرگ از چین و ماوراء النهر به سپه سالاری کاموس و منثور (منشور) برای یاری تورانیان فراهم آورده و خود با آن ها همراه شده است. و همگی آن ها بزودی به پیران خواهند پیوست. پیران خبر را به سرداران و دلیران سپاه توران رساند و مژده داد که بزودی برو بوم ایران را ویران خواهند کرد، و توران و ایران سراسر از آنِ افراسیاب خواهد شد.

چند روز بعد، پیکی خبر نزدیک شدن خاقان چین و سپاهیانش را برای پیران آورد. پیران برای خوشامدگویی به اردوگاه خاقان رفت. هنگامی که به آنجا رسید، زیبایی و رنگ های گوناگون خیمه ها و درفش ها و شمار بسیار سپاهیان او را شگفت زده کرد. خاقان او را به گرمی پذیرفت و نزدیک خود نشاند. آنگاه از او دربارهٔ شمارِ سپاهیان ایران و توان جنگی سرداران آن پرسید. پیران گفت که سپاه ایران از جنگ های فراوانی که کرده، سخت فرسوده

---

۱. هم داستان بودن: هم رای و موافق بودن

شده، از مردان نامی آن ها تنها طوس و گودرز و گیو زنده مانده اند. اکنون همگی آن ها شکست خورده و درمانده به کوه هماون پناه برده اند. خاقان از پیران دعوت کرد که آن روز را در خیمهٔ پررنگ و نگار او مهمان باشد.

طوس و گودرز همچنان تأخیر تورانیان را در آغازکردن جنگ، نشانهٔ انتظار آن ها برای رسیدنِ سپاهی تازه می دانستند و نگران بودند که با رسیدن سپاه تازه نفس، سپاه ایران نابود خواهد شد و یکسره از میان خواهد رفت. اما گیو آن ها را به یاریِ خداوند امیدوار کرد:

نبستند بر ما درِ آسمان　　　　مشو بدگمان از بدِ بدگمان

و در همان حال دستور داد که سپاهیان خندقی گرداگردِ اردوگاه بکنند تا دسترسی تورانیان به آنجا دشوار شود و به آن ها امید داد که بزودی رستم از راه خواهد رسید.

گودرز که بیش از دیگران، چشم به راه رسیدن رستم بود، به قلهٔ کوه رفت. اندکی پس از نیمروز که خورشید به طرف باختر رو کرد، فریاد دیدبان را شنید که با سراسیمگی از نزدیک شدن سپاهی بزرگ از طرف مشرق خبر می داد. گودرز سخت پریشان شد و به دیدبان گفت که به طرف دیگرِ کوه نگاه کند و ببیند از سپاهیان ایران خبری هست؟ او نخست اثری ندید، اما بزودی مژده داد که در دوردستِ بیابان گرد و خاکی می بیند که نشانهٔ رسیدن سپاه از ایران است و گفت که گمان می کند آن ها تا صبح روز بعد به کوه هماوَن برسند.

چنان شاد شد ز آن سخن پهلوان　　　　که بی جان شده باز یابد روان

و از دیدبان خواست که خود را به طوس برساند و این مژده را به او نیز بدهد. اما او نمی توانست جایگاه خود را ترک کند. قرار شد شب هنگام که دیدبانی ممکن نبود، نزد طوس برود و سرداران و سپاهیان را با این خبر، شاد کند.

در اردوگاه تورانیان با رسیدن پیک پیران که خبر به راه افتادن سپاه خاقان چین را آورده بود، هومان و دیگر سرداران بسیار شادمان شدند. اما در این طرف، طوس همچنان چشم به راه سپاهی بود که می بایست از ایران برسد. از این رو بیژن را بالای کوه فرستاد تا از چگونگی سپاهِ تازه رسیدهٔ توران خبر بیاورد. بیژن بزودی برگشت و خبرداد که سواران بیشمار با ابزار جنگی فراوان و پیلان جنگی بسیار سرتاسر دشت را پوشانده اند. طوس با شنیدن این خبر، یکبار دیگر به فکر افتاد که با آنکه سپاه کافی ندارند، به اردوگاه تورانیان شبیخون بزنند. تا کشته شوند و بدنامی شکست بر آن ها نماند. سرداران و سپاهیان نیز پذیرفتند.

آگاه شدن گودرز و طوس از آمدن سپاه تازه

با فرا رسیدن شب، دیدبان نزد طوس آمد و مژده داد که سپاهی برای کمک به آن ها، بزودی به آنجا می رسد. طوس فکر شبیخون زدن را کنار گذاشت و سپاهِ پیشاهنگ را به نزدیکی سپاه تورانیان فرستاد.

صبح روز بعد، خاقان نخست سپاهیان خود را به دشت آورد:

خروشیدن آمد ز پرده سرای　　همان نالهٔ کوس با کرّه نای
ز پیلان نهادند بر پنج زین　　بیاراست دَه را به دیبای چین ...
هوا شد ز بس پرنیانی درفش　　چو بازار چین زرد و سرخ و بنفش

پیران گفت که بهتر است سپاه را دو گروه کنند. از بامداد تا نیمروز[1] یک گروه و از نیمروز تا هنگام غروب، گروهی دیگر بجنگند و شب هنگام، گروه اول را که استراحت کرده بودند، به میدان ببرند. تا ایرانیان ناچار شوند یکسره بجنگند و کار بر آن ها دشوار شود. کاموس این فکر را نپسندید و بر آن بود که حال که سپاهی فراوان دارند می توانند آن ها را یکباره به میدان ببرند و جنگ را زودتر به پایان برسانند. پس ازآن به ایران بروند و پادشاه و تاج و تخت آنجا را از میان بردارند. خاقان چین سخنان کاموس را پسندید و همگی بر آن شدند که پس از سه روز استراحت، جنگ را آغاز کنند.

رسیدن فریبرزِ کاوس به کوه هماوَن

بامداد روز بعد همینکه خورشید سراپردۀ زرین خود را برپا کرد، دیدبان با فریاد شادی، رسیدن سپاهیان فریبرز را به گودرز خبر داد. گودرز پیر خود را به آن ها رساند. فریبرز از اسب پیاده شد، یکدیگر را در آغوش گرفتند. فریبرز، گودرز را که با یاد کشته شدن پسران خود، اشک می ریخت، دلداری داد و گفت که می داند که گودرز، در کینخواهی سیاوش، مصیبت بسیار دیده است، اما اکنون آفریدگار را سپاس می گوید که او را زنده و تندرست می بیند. گودرز گفت:

« آن جنگ و آن شکست را باید از یاد ببریم و به جنگی که در پیش داریم، بیندیشیم. »

و به فریبرز خبر داد که از چین و سَقلاب و هند و روم، سپاهی بزرگ به جنگ ایرانیان آمده اند.

همانا نمانده ست یک جانور مگر بسته بر جنگ ما بر کمر

---

۱. نیمروز: ظهر

و از رستم پرسید و اینکه او کی به آنجا خواهد رسید؟ فریبرز گفت که رستم اندکی پس از او به راه افتاده، و بزودی از راه می رسد. اما دستور داده که پیش از آمدن او ، جنگ را آغاز نکنند.

از سوی دیگر، هنگامی که دیدبان سپاه توران خبر رسیدن سپاه فریبرز را به پیران داد، او سراسیمه نزد خاقان چین و سردارانش رفت تا راه دیگری برای جنگ بجویند. کاموس به پیران گفت که پیران توانسته است با سپاهی اندک، پنج ماه با ایرانیان بجنگد و آن ها را شکست دهد، از این رو، با این سپاه بزرگ که سراسر دشت را گرفته و با سردارانی همچون خاقان و منثور و خود کاموس، نباید نگران باشد. اگر از کاول و زاول (زابل) هم سپاه بیاید، توان جنگیدن با کاموس را نخواهند داشت. و اگر بیم پیران از رستم است، او پیش از همه رستم را از میان برخواهد داشت و نامی از او باقی نخواهد گذاشت. خاقان نیز به پیران اطمینان داد و گفت:
« کاموس هر آنچه می گوید، انجام می دهد. ما با ایرانیان خواهیم جنگید، بزرگانشان را یا از میان برمی داریم یا به بند می کشیم و نزد افراسیاب می فرستیم.

به ایران نمانیم[1] برگ درخت   نه شاه و نه گاه و نه تاج و نه تخت »

پیران شادمان و آسوده خاطر به سراپردهٔ خود بازگشت. هومان و لهاّک و فرشیدوَرد نزد او آمدند و مژده دادند که سالار سپاهی که از ایران آمده، فریبرز پسر کاوس است نه رستم. از این رو شکست دادن ایرانیان بسیار آسان خواهد بود. وانگهی با سپاه و ابزار جنگی فراوانی که دارند، از رستم هم نباید بیم داشته باشند.

---

۱. ماندن: برجا گذاشتن

رسیدن رستم به گودرز و طوس

طوس با شنیدن خبر رسیدن فریبرز، سپاهیان را گرد آورد و به آن ها مژده داد که بزودی رستم هم به آن ها می پیوندد.

سپاه آفرین خواند بر پهلوان — که بیدار دل باش و روشن روان

بدین مژده گر دیده خواهی رواست — که این مژده آرایشِ[1] جان ماست

و گفتند که همگی برای جنگ آماده اند و همینکه رستم برسد، خواهند جنگید و تاج و درفش و چتر خاقان را و بسیار چیزهای دیگر را به دست خواهند آورد. با اینهمه طوس که بیم داشت رستم او را از اینکه به کوه پناه برده و دست به جنگی دیگر نزده، سرزنش کند، بر آن بود که پیش از رسیدن رستم، با یک حمله، سپاه توران را از دامنۀ کوه دور کند، اما سپاهیان او را از این کار باز داشتند و گفتند اینگونه که سپاه دشمن گرداگرد آن ها را گرفته است، جز با بودن رستم کاری از پیش نخواهند برد.

جنگ کاموس با ایرانیان

بامداد روز بعد همینکه با برآمدن خورشید، آواز چکاوک از دشت برخاست، کاموس مغرور و آمادۀ رزم و سراپا پوشیده در جامۀ جنگ، سپاهیانش را گرد آورد. در اردوگاه ایرانیان نیز، طوس سپاه را آماده کرد. در این هنگام دیدبان با فریادهای شادی، مژدۀ نزدیک شدن رستم و سپاهیانش را داد. گودرز بی درنگ کسی را نزد فریبرز فرستاد تا به او بگوید که هم اکنون رستم از راه می رسد، فریبرز نیز سپاه خود را پیش بیاورد و به آن ها بپیوندد.

---

۱. آرایش: زینت؛ زیور

کاموس با لشکریان خود به آن ها نزدیک شد. هردو سپاه رودرروی هم صف کشیدند.
کاموس پیش آمد و رو به ایرانیان گفت:
« پیش از این با هماوردی ترسو رودررو بودید. اکنون مردانی دلاور به جنگ شما آمده اند. کدامیک از شما به جنگ من می آیید؟ »
گیو با شنیدن سخنان کاموس پیش رفت، شمشیر کشید و فریاد زد:
« تنها پیل توان رویارویی با این شمشیر را دارد. »
آنگاه تیر و کمان را آماده کرد، نام آفریدگار را بر زبان آورد و کاموس را زیر باران تیرهای خود گرفت. کاموس با دیدن توان او در تیراندازی، سر خود را پشت سپر پنهان کرد و در همان حال نیزه ای بر کمر گیو زد. گیو بی درنگ شمشیر کشید و نیزهٔ او را با یک ضربه شکست. طوس که از دور درگیری آن ها را دید، برای یاری گیو به طرف آن ها تاخت. کاموس عنان اسب خود را به طرف طوس برگرداند و همزمان با هردو جنگید. در هنگامهٔ درگیری، اسب طوس مجروح شد و از پا افتاد. طوس پیاده همراه با گیو تا هنگام غروب، به سختی با کاموس جنگید.

اندکی بعد، رستم و سپاهیانش به اردوگاه ایرانیان رسیدند. گودرز برای پیشواز او، باشتاب از کوه پایین رفت. هردو از اسب پیاده شدند، یکدیگر را در آغوش گرفتند و به یاد فرزندان گودرز که کشته شده بودند، گریستند. گودرز مردانگی و هوشمندی رستم را ستود و گفت:

تو ایرانیان را ز مام و پدر — بهی ، هم ز گنج و ز تخت و کمر
چنانیم بی تو که ماهی به خاک — به ننگ اندرون سر، تن اندر هلاک
چو دیدم چنین خوب چهر ترا — همان پرسش گرم و مهر ترا ،
مرا سوگ آن ارجمندان نماند — به بخت تو، جز روی خندان نماند

بزودی گیو و طوس و سرداران دیگر نیز به آن دو پیوستند. رستم را به اردوگاه بردند. سراپردهٔ او و سپاهیانش را برپا کردند. آنگاه همگی در زیر نور شمع گرداگرد رستم نشستند و با او از آنچه گذشته بود و از سپاه خاقان چین و مردان او؛ کاموس، شنگُل، منثور و کاموس و آنچه از دلاوری های آن ها شنیده بودند و همچنین از ابزار جنگی فراوانی که داشتند، سخن گفتند. و اینکه آفریدگار را سپاس می گویند که با آمدن رستم رنج آن ها پایان یافته است. رستم آن ها را دلداری داد و به پیروزی امیدوار کرد.

بامداد روز بعد، با برآمدن خورشید، خروش طبل ها از هردو سپاه برخاست، هومان که شب پیش سروصدای اردوگاه ایرانیان را شنیده بود، سوار بر اسب، خود را به نزدیکی کوه هماوَن رساند، درفش رستم را بانقش اژدها و سراپردهٔ سبزرنگ او را و خیمه های لشکریان تازه رسیده را دید. بی درنگ نزد پیران رفت و به او گفت که گمان می کند که رستم به کمک ایرانیان آمده باشد. پیران وحشت زده از آمدن رستم و بیمناک از کشته شدن خاقان چین و کاموس و سرداران توران، سراسیمه و شتابان نزد کاموس و منثور و فرطوس رفت. و آن ها را از آمدن رستم باخبر کرد. کاموس به او گفت که از آمدن رستم و سپاه زاولستان، حتی از آمدن کیخسرو، نباید بیم نداشته باشد؛

درفش مرا گر ببیند به جنگ — به دریا درون، خون خروشد نهنگ ...

ببینی تو پیکار مردان کنون — شده دشت یکسر چو دریای خون

پیران که از سخنان کاموس آرامش یافته بود، نزد خاقان چین رفت و پس از ستایش او و سپاس از اینکه برای یاری دادن به افراسیاب از دریا گذشته و از راهی دور و دشوار به آنجا

آمده، گفت که در این جنگ خود او در پیشاپیش سپاه حرکت خواهد کرد و از خاقان خواهش کرد که در میانهٔ سپاه قرار بگیرد و او را پشتیبانی کند.

جنگ همان روز آغاز شد. خاقان در میانه، کاموس در سمت راست و پیران و هومان و گلباد در سمت چپ سپاه توران قرار گرفتند. به دستور رستم، طوس سمت راست سپاه را به گودرزو سمت چپ را به فریبرز سپرد و خود در میانهٔ سپاه قرارگرفت. رستم آن روز به میدان نرفت. به طوس گفت:

« تمام راه، رخش را بی هیچ درنگ و استراحت رانده ام. رخش خسته است. سُمِ او نیز آسیب دیده است. نمی توانم او را به میدان بیاورم. امروز را بدون من بجنگید و تلاش کنید دشمنان را شکست دهید. »

سپاهیان ایران به راه افتادند. رستم برای تماشای لشکر توران به قلهٔ کوه رفت. سپاه بزرگی از کشورهای چین و هند و سِند و سَقلاب در دشت گرد آمده بودند. از گوناگونی درفش ها و ابزارهای جنگی آن ها که میدان را از نقش و رنگ همچون باغ بهشت کرده بودند، شگفت زده شد. در جنگ های بیشماری که کرده بود، هرگز سپاهی به آن انبوهی ندیده بود. با اینهمه از پیروزی ناامید نشد و با خود گفت: ببینیم آسمان با ما چه خواهد کرد؟

طوس سپاه بزرگ را از کوه به دشت برد. هردو سپاه رودرروی هم صف کشیدند و جنگ آغاز شد.

نماند ایچ[1] با روی خورشید، رنگ		به جوش آمده خاک و برکوه سنگ

---

۱. ایچ: هیچ

جنگ رستم با اَشکِبوس

در میانهٔ جنگ، اشکِبوس به میدان تاخت و از ایرانیان هماورد خواست. از سپاه ایران رُهّام با او رودررو شد. اشکِبوس او را زیر بارانِ تیرهای خود گرفت. اما رُهّام سراپا پوشیده در جوشنِ آهنین بود و تیرهای اشکِبوس همچون باد، هیچ آسیبی به او نمی رساند. اشکِبوس با خشمِ بیشتر، با گرز به رُهّام حمله برد. رُهّام نیز با گرز با او مقابله کرد. اما سرانجام خسته شد، گریخت و اسب خود را شتابان به طرف کوه راند. طوس خشمگین از گریختن رُهّام، به طرف اشکِبوس تاخت تا با او بجنگد. رستم او را از این کار بازداشت و از او خواست که در میان سپاه بماند و از آن ها پشتیبانی کند، تا خودِ او پیاده به جنگ اشکِبوس برود. پس بی درنگ کمان را به بازو انداخت. چند تیر در کمربند خود جا داد و پیاده به طرف اشکِبوس رفت و فریاد زد:

« ای مرد جنگاور! مرو! هماوردت آمد. »

اشکِبوس ایستاد و از رستم نام او را پرسید. رستم در پاسخ او گفت:

« مرا مامِ من نام « مرگ تو» کرد　　　زمانه مرا پُتک ترگِ[1] تو کرد »

اشکِبوس به رستم هشدار داد که اگر پیاده بجنگد، خود را به کشتن خواهد داد. رستم گفت:

« پیاده ندیدی که جنگ آوَرَد　　　سرِ سرکشان زیر سنگ آورد؟

به شهرتو شیر و نهنگ و پلنگ　　　سُوار اندر آیند هرسه به جنگ؟

هم اکنون پیاده جنگیدن را به تو می آموزم. طوس مرا پیاده به جنگ فرستاده است تا اسبِ اشکِبوس را بگیرم، او را همچون خود پیاده کنم و هردو سپاه را به خنده در آورم. کسی که با سواری با زور و توان و دست و بازوی تو می جنگد، نیازی به اسب ندارد. »

---

۱. ترگ: کلاهخود

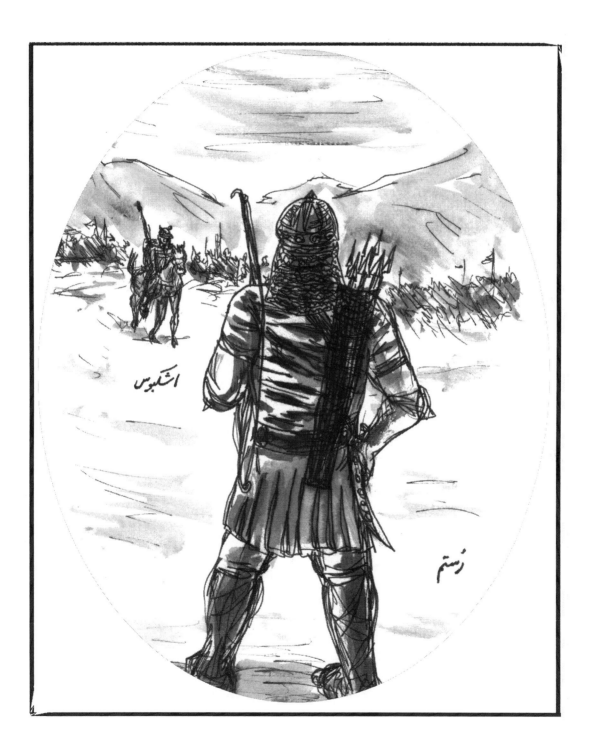

اشکبوس

رستم

اشکِبوس گفت:

« اما تو با کدام سلاح خواهی جنگید. من که با تو چیزی جز تمسخر نمی بینم. »

رستم پاسخ داد:

« به تیر و کمان من نگاه کن تا ببینی که هم اکنون زندگی ات پایان می یابد. »

و بی درنگ تیر و کمان را آماده کرد، نخست اسب اشکِبوس را نشانه گرفت. اسب از پا در آمد. رستم خندید و از سر تمسخر گفت:

« چند لحظه دست از جنگ بکش! در کنار یار و همراه خود بنشین و سر او را در آغوش بگیر! »

اشکِبوس با تن لرزان و رنگ پریده، تیری به طرف رستم انداخت. رستم گفت:

« بیهوده به خود زحمت مده! »

و با چالاکی تیری دیگر در کمان گذاشت،

بزد بر سر و سینهٔ اشکبوس — سپهر آن زمان دست او داد بوس

کشانی هم اندر زمان جان بداد — چنان شد که گویی ز مادر نزاد

خاقان که از دیدن رویارویی رستم و اشکِبوس سخت شگفت زده شده بود، رو به پیران کرد و گفت:

« به من گفته بودی که مردان سپاه ایران چندان دلاور نیستند. »

پیران گفت:

« می دانم که از دلاوران ایرانی تنها گیو و طوس زنده مانده اند. من این مرد را نمی شناسم. به سراپردهٔ خود می روم، تا ببینم کسی نامِ ناخوشایندِ این مردِ را می داند؟ »

و پریشان و نگران نزد هومان رفت. هومان گفت:
« می دانم که سپاهیان فراوانی به یاری طوس آمده اند. و می دانم که ایران مردان دلیر بسیاری دارد. در هرحال دشمن را نباید دست کم گرفت. »
پیران گفت که کسانی چون گرگین و فریبرز نمی توانند با کاموس برابری کنند. و او تنها از آمدن رستم بیمناک است.

پیران همچنان دلنگران و پریشان نزد کاموس و منثور و فرطوس رفت و به آن ها گفت که جنگ آن روز، نشان داد که ایرانیان تواناترند. باید چاره ای اندیشید. کاموس گفت:
« جنگ امروز مایهٔ ننگ و سرشکستگی بود. کشته شدن اشکِبوس به دست آن مردِ پیاده مرا بسیار اندوهگین کرده، چرا که سپاهیان بیم زده و نومید شده اند. چه بسا این مرد همان سَگزی[1] است که از او سخن می گفتی. »
و از پیران نشانی های رستم را پرسید و گفت که اگر رستم به میدان بیاید، خود به جنگ او خواهد رفت. پیران ترسان و بیم زده گفت:
« مباد که رستم به این جنگ بیاید. او مردی بسیار قوی پیکر و نیرومند است و در چند جنگ افراسیاب را شکست داده است. پرورندهٔ سیاوش بوده و برای خونخواهی او می جنگد. در جنگ ها ببربیان[2] می پوشد که نه در آتش می سوزد و نه در آب تر می شود. »
و از رخش گفت که زمانی که به حرکت در می آید، گویی کوه بیستون به راه افتاده است؛ شیهه کشان به میدان می آید و نعل او از خاک و سنگ، آتش می افروزد. و افزود که با اینهمه رستم در برابر کاموس که چنان قامت و برو بازویی دارد، کسی نیست.

---

۱. سَگزی: اهل سیستان ؛ صفت رستم که بار معنایی حقارت آمیز دارد.
۲. ببربیان: خَفتانی که بنا بر افسانه ها رستم از پوست اژدهایی زخم ناپذیر به نام ببربیان که آن را کشته بود، درست کرده بود.

کاموس مغرور از ستایش های پیران، گفت که به هرکس که او بخواهد سوگند می خورَد که در آن جنگ تا پیران را پیروز و خوشحال نکند، از اسب پیاده نخواهد شد. پیران آرامش یافت و امیدوار شد.

شب هنگام سردارانی که به یاری پیران آمده بودند؛ منثور، کاموس کشانی، شِمیرانِ (شویران) شِکنی، شَنگُل هندی، کُندُر سَقلابی و پادشاه سِند در سراپردهٔ خاقان چین گرد آمدند و همگی بر آن شدند که روز بعد به سختی بجنگند.

صبح روز بعد هنگامی که ماه افول کرد و خورشید چهرهٔ خود را با آب طلا شست، سپاهیان هردو کشور به جنب و جوش در آمدند. خاقان چین گفت:

« جنگ امروز نباید مانند دیروز به کندی انجام بگیرد. ما همگی از ده کشور برای یاری افراسیاب آمده ایم و به پیران کاری نداریم. »

سران سپاه همگی در پاسخ خاقان گفتند که گوش به فرمان او دارند.

در اردوگاه ایرانیان نیز رستم سرداران سپاه را به جنگ برانگیخت و آن ها را دلداری داد که شمار کسانی که در جنگ دیروز کشته شده اند، بسیار اندک است و اینکه او رخش را آماده کرده و خود به میدان خواهد آمد. همچنین آن ها را به هدیه هایی که پس از پیروزی از کیخسرو، و از او خواهند گرفت، دلگرم کرد.

بسازید[1] کامروز روزی نواست　　　جهان سربه سر گنج کیخسرو است

---

۱. ساختن: مجهزشدن: آماده شدن

جنگ رستم با کاموس

رستم جامهٔ جنگ پوشید. کلاهخود بر سر گذاشت و سوار بر رخش، همراه با سپاهیان ایران به میدان رفت. هردو سپاه رودرروی هم صف بستند. در سپاه توران، کاموس در سمت راست، پادشاه هِند در سمت چپ و خاقان چین در میانهٔ سپاه قرار داشتند و در سپاه ایران، گودرز در سمت راست، فریبرز در سمت چپ و طوس در میانهٔ سپاه. پیش از همه کاموس از صف تورانیان با گرزی بزرگ در دست، پیش آمد و رو به ایرانیان فریاد زد:

« آن جنگجوی پیاده کجاست تا با من بجنگد؟ »

هیچ یک از سرداران ایران پیش نیامدند. از میان سپاه زاولستان، سواری به نام الوایِ (اَلواد) که آیین جنگ و سواری و تیراندازی را از رستم آموخته بود، به میدان تاخت. کاموس همچون گرگ به او حمله برد، با نیزه او را از روی زین برداشت، بر زمین زد و زیر نعل اسب خود، لگدکوب کرد. رستم برآشفته از کشته شدن الوایِ، کمند و گرزی را که در جنگ مازندران با خود داشت، در دست گرفت و به طرف کاموس تاخت. کاموس با تمسخر به او گفت که به آن ریسمان پرپیچ و تاب ننازد. رستم در پاسخ گفت:

« مردی نامور از ایرانیان را کشته ای. هنگام آن است که ببینی این ریسمان چگونه ترا به بند می کشد. مرگ، ترا از کشانی به اینجا کشانده است! »

کاموس پیش آمد و شمشیر کشید تا رستم را بکشد. نوک شمشیر بر گردن رخش خورد، برگُستَوان[1] اسب پاره شد، اما رخش آسیبی ندید. رستم کمند خود را پرتاب کرد و حلقهٔ آن را بر کمر کاموس انداخت، دنبالهٔ آن را به زین رخش بست و او را به حرکت در آورد. کاموس

---

۱. بَرگُستَوان یا برگُستُوان: پوشش محافظی که با آن تن اسب را می پوشاندند.

کوشید اسب خود را به طرفیِ دیگر بتازاند، به این امیدکه حلقه از کمند جدا شود و خود را رها کند. حلقه جدا نشد و کاموس بر اثر کشاکش، از هوش رفت. رستم رخش را از حرکت بازداشت و کاموس را از اسب به زیر انداخت، دست های او را بست و پیاده نزد سپاهیان ایران برد و به آن ها گفت:

« این همان جنگجویی است که آمده بود ایران را ویران کند و در زاولستان و کاولستان کاخ و گلستانی برجا نگذارد. کار او به پایان رسیده. می خواهید او را چگونه بکشید؟ »

بزرگان سپاه پیش آمدند،

تنش را به شمشیر کردند چاک   به خون غرقه شد زیر او سنگ و خاک

سوارانی که از کَشانی و شِکنی و بلخ برای یاری پیران آمده بودند، از کشته شدن کاموس سخت ناامید شدند. کنجکاو و هراسان نام کسی را که کاموس را کشته بود، از یکدیگر می پرسیدند.

پیران وحشت زده به هومان گفت که پس از کشته شدن کاموس، هیچ یک از دلیران سپاه یارای جنگیدن با ایرانیان را نخواهند داشت. پس همراه با سرداران خود، سراسیمه نزد خاقان چین رفت و از او درخواست کرد که یکی از کارآگهان[1] را بفرستد تا نام و نشان مردی را که کاموس را به خاک و خون کشیده بود، به دست بیاورد شاید بتوانند جنگجویی را که هماورد او باشد، برای جنگ با او به میدان بفرستند. خاقان گفت:

« من نیز کنجکاوم تا نام او را بدانم. اما تو از کشته شدن کاموس دلتنگ مباش. »

من آن را که کاموس از او شد هلاک   به بند کمند اندر آرم به خاک

همه شهر ایران کنم رودِ آب   به کامِ دلِ خسرو افراسیاب

1. کار آگه: جاسوس

پس از آن خاقان چندتن از دلیران سپاه را فرستاد تا ببینند جای آن مرد در میان سپاه ایرانیان در کدام طرف است، به او نزدیک شوند و بپرسند که نام او چیست و از کدام شهر آمده است. در این هنگام سواری به نام چنگش (جنگش) پیش آمد و به خاقان گفت که به تنهایی با آن مرد خواهد جنگید و کین کاموس را از او خواهد گرفت. خاقان بر او آفرین گفت و وعده داد که گنج های بسیار به او خواهد بخشید.

جنگِ چنگش با رستم

چنگش تیر و کمان خود را آماده کرد و بی درنگ به طرف سپاه ایران تاخت. و همچنانکه اسب خود را به چپ و راست میدان می تازاند، فریاد زد:

« آن شیر جنگی کجاست؟ همان که کاموس را در کمند انداخت. کجاست تا از او اثری برجای نگذارم؟ »

رستم گرز به دست، به طرف او تاخت و گفت:

« آن جنگجوی شیر افکن منم! هم اکنون ترا نیز همچون کاموس در زیر نعل اسب خود می افکنم. »

و در پاسخ چنگش که نام و نژاد او را پرسید، گفت:

« سرِ نیزه و نام من مرگ تست   تنت را بباید ز سر دست شست[1] »

رستم با دیدن تیر و کمان او دانست که تیر او بسیار نیرومند است، سپرخود را بالا برد تا از آن در امان بماند. اما چنگش همینکه به رستم نزدیک شد و او را دید که همچون کوهی بر رخش

---

۱. دست شستن از چیزی: صرفنظر کردن

نشسته است، بهتر دید که از رودررو شدن با رستم پرهیز کند و به اردوگاه تورانیان برگردد. رستم چنگش را دنبال کرد، خود را به او رساند و دم اسب او را گرفت و آن را از رفتن بازداشت. چنگش کوشید ایستادگی کند، اما بزودی خسته شد، ناچار خود را بر زمین انداخت. کلاهخود از سر او افتاد و از رستم زنهار خواست. رستم سر او را از تن جدا کرد.

خاقان که از کشته شدن چنگش سخت غمگین و پریشان شده بود، به هومان گفت که کار دشوار شده و هومان باید هر گونه که می تواند نام آن مرد را به دست بیاورد. هومان گفت:

« این مرد با زور و توانِ خود کاموس را به بند کشید، من از کاموس توانمندتر نیستم، با اینهمه این کار را انجام خواهم داد. »

رفتن هومان ویسه به ناشناخت نزد رستم

هومان بی درنگ به خیمهٔ خود رفت. جامهٔ جنگ دیگری پوشید، کلاهخود دیگری بر سر گذاشت و با اسبی دیگر به طرف رستم رفت. نخست با چرب زبانی و مهربانی دلاوری های او را ستود. سپس از نام و نژاد و شهر او پرسید. رستم از هومان پرسید که نام او را برای چه می خواهد و چرا نام و نژاد خود را به او نمی گوید؟ چرا نزد او آمده و اینگونه با چرب زبانی سخن می گوید؟ و افزود که اگر به قصد یافتن راهی برای آشتی آمده، تنها راه این است که تورانیان همهٔ کسانی را که خون سیاوُش را ریختند و فرزندان گودرز را به خاک و خون کشیدند، نزد ایرانیان بفرستند تا او آن ها را به بارگاه کیخسرو ببرد و نزد پادشاه برای آن ها پایمردی کند. چه بسا کیخسرو آن ها را ببخشد و جنگ بین ایران و توران یکباره پایان بیابد.

و گفت که آن گناهکاران را به خوبی می شناسد. نخستین آن ها کَرسیوَز (گرسیوَز) است، سپس گُروی زره که سیاوش را کشت و پس از این دو، پسرانِ ویسه؛ هومان، لهّاک، فرشیدورد، گلباد و نستیهن که همگی مردانی دورو و دورنگ هستند. و افزود که اگر تورانیان چنین نکنند، کینهٔ دیرین همچنان برجا خواهد ماند و جنگ ها ادامه خواهد یافت. و اینکه پیش از این با تورانیان بسیار جنگیده است. این بار هم همگی آن ها جنگیدن او را دیده اند. و اگر آنچه خواسته است، انجام نگیرد، در سرزمین توران آتش برپا خواهد کرد و کسی را زنده نخواهد گذاشت.

هومان دریافت که این مرد به خاندان او بیش از دیگر تورانیان دشمنی دارد. پس به رستم گفت که نامش کوس گوش پسر یوسپاس است و از وَهر به سپاه خاقان پیوسته است. و یکبار دیگر از رستم خواست که نام خود را بگوید تا پیغام او را به خاقان و دیگر سرداران برساند.

رستم گفت:

« نام مرا مپرس. پیغام مرا به آن ها برسان. »

و افزود:

« پیران مردی ملایم و خوش رفتار است. می دانم که از کشته شدن سیاوش سخت غمگین شده است. من هم دلم برای او می سوزد. او را نزد من بفرست. »

هومان پرسید:

« تو که پیران و گلباد و گروی زره را ندیده ای، چگونه می توانی او را بشناسی؟ »

بدو گفت: چندین چه پیچی سَخُن　　　سر آب را سوی بالا مکن[1]

نبینی که پیگارِ چندین سپاه　　　ز بهر که است اندرین رزمگاه؟

---

۱. سر آب را سوی بالا کردن: دشوار و پیچیده کردن کار

هومان با رنگ پریده، شتابان خود را به پیران رساند و به او گفت:

« کارمان دشوار شده است. مردی که نزد او رفتم، با آن جوشن و گرز و اسبی که بر آن نشسته است، نمی تواند کسی به جز رستم باشد. با هم بسیار سخن گفتیم. از بدی های همه یاد کرد. پیش از همه، از من نام برد، از سیاوُش و از بهرام و پسران گودرز، سخن ها گفت. تنها با تو مهربان است و می خواهد ترا ببیند. نزد او برو، تا ببینی که آنچه از او به تو گفتم، دروغ نیست. با او به نرمی سخن بگو و با شمشیر با او روبرو مشو! »

پیران که سخت پریشان و بیم زده شده بود، گفت:

« اگر آن مرد رستم باشد، زمان ماتم ما رسیده است، برو بوم ما در آتش خواهد سوخت. »

سپس نزد خاقان چین رفت و به او گفت:

« از همان زمان که کاموس کشته شد، در این گمان افتادم که این مرد رستم است. رستم پرورندهٔ سیاوش بود و اکنون همچون پدری سوگوار برای کینخواهی او به جنگ آمده است. نزد او می روم تا ببینم چه می خواهد. »

خاقان به پیران گفت که با رستم سخن بگوید و ببیند اگر خواهان آشتی است، سپاهیان را در آنجا نگاه ندارند و به جنگ ادامه ندهند. اما اگر سر جنگ داشته باشد، با او خواهند جنگید و او را شکست خواهند داد.

هم او را تن از آهن و روی نیست — جز از خون و از گوشت و از موی نیست
همین زاوُلی نامبردار مرد — ز پیلی فزون نیست اندر نبرد
یکی پیل بازی[1] نمایم بدوی — که زان پس نیارد سوی جنگ روی

---

۱. پیل بازی: دلاوری و زورمندی

آمدن پیرانِ ویسه نزد رستم

پیران بیم زده و با دلی دردمند، اسب خود را به طرف سپاهیان ایران راند و رو به رستم با صدای بلند گفت:

« شنیده ام از میان سپاهیان توران مرا خواسته ای. »

رستم پیش آمد و نام او را پرسید. پیران پاسخ داد:

« من پیران، سپه سالار تورانم! اما تو کدامیک از سرداران ایرانی؟»

رستم نام خود را گفت. پیران بی درنگ از اسب پیاده شد و در برابر او سر خم کرد. رستم با مهربانی با او سخن گفت و پیغام مهرآمیز کیخسرو و مادرش فِریگیس را برای او بازگو کرد. پیران رستم را دعا کرد و آفریدگار را سپاس گفت که او را زنده می بیند. سپس از زال و از زواره و فرامرز پرسید. و از هواداری های خود از سیاوُش و مهربانی هایی که به او و فِریگیس کرده بود و رنج هایی که برای آن دو کشیده بود، گفت و گلایه کرد که تنها بهره ای که از آن همه برده، این است که در چشم هردو پادشاه، خوار و سرشکسته شده است. اکنون که افراسیاب او را به جنگ کیخسرو فرستاده، از این جنگ ناگزیر است. چرا که نمی تواند سرزمین خود را ترک کند. و اگرچه خود او از کشته شدن برادرش، پیلسَم دلی پردرد دارد، آشتی را بر جنگ ترجیح می دهد. و افزود که هیچ یک از کسانی که افراسیاب آن ها را برای جنگ با ایرانیان از کشورهای دیگر به کمک خواسته است، در آنچه بر سیاوُش گذشت، گناهکار نیستند و کشته شدن آن ها نارواست.

رستم گفت که پیران برای آشتی دو راه در پیش دارد. یا کسانی را که در کشتن سیاوش گناهکار بوده اند، دست بسته نزد کیخسرو بفرستد یا خود او همراه با رستم نزد کیخسرو برود. و گفت که بی گمان پادشاه ایران چندین برابر آنچه که پیران در توران دارد، به او خواهد بخشید.

پیران با خود اندیشید که رفتن خودِ او نزد کیخسرو کاری دشوار و فرستادن کسانی که در کشته شدن سیاوُش دست داشته اند، ناشدنی و غیرممکن است. چرا که تمامی آن ها از خویشان افراسیابند. افزون بر این، هومان و لهاک و فرشیدورد نیز که پسران گودرز را کشته اند، در شمار گناهکارانند و فرستادن آن ها امکان ندارد و باید چاره ای برای این کار پیدا کند. پس رو به رستم کرد و گفت که سخنان او را به منثور و کُندُر خواهد گفت و برای افراسیاب هم پیغامی خواهد فرستاد تا به او نیز هشداری بدهد.

و باشتاب به اردوگاه برگشت، برادران خود را گرد آورد و به آن ها گفت:

« روزگارِخوشِ ما رو به نابودی است. این مرد رستم است و همراه با دلاوران زاولستان و کاولستان به اینجا آمده و گناهکاران را از ما می خواهد و در اینجا هیچ کس بی گناه نیست. »

آنگاه با اشاره به آنچه افراسیاب با کشتن سیاوش کرده بود، گفت:

همی گفتم این شومِ بیداد را — که چندین مدار آتش و باد را

که روزی شوی ناگهان سوخته — خرَد سوخته، چشم دل دوخته

نکرد این جفا پیشه فرمانِ من — نه فرمان این نامدار انجمن

کسی در برابر رستم و مردانش تاب پایداری نخواهد داشت. بزودی از افراسیاب و از تخت و تاج و سپاه او چیزی برجا نخواهد ماند و آب بخت ما شور خواهد شد[1]. »

---

۱. آب بخت کسی شورشدن: روزگار خوشی کسی به سرآمدن

و به برادران خود گفت که نزد خاقان چین می رود تا او را از کار دشواری که برای آن ها پیش آمده، باخبر کند.

پیران بیم زده و بر آشفته به سراپردهٔ خاقان رفت. آنجا را پر از سروصدا و ناله و شیون دید؛ گروهی از خویشانِ کاموس، خشمگین از کشته شدن او، نزد خاقان آمده بودند و فریاد می زدند که آوردن آن ها به یاری افراسیاب، خطا بوده است و افراسیاب اگر مردان دلاور جنگی نداشته، نباید به جنگ ایرانیان می آمده است. آن ها می خواستند به کشور خود برگردند، سپاهی بزرگ فراهم کنند و برای خونخواهی کاموس به جنگ رستم بروند. خاندان چنگش و اشکبوس نیز از سرِ درد و خشم فریاد می زدند که بزودی سیستان را آتش خواهند زد، رستم را به دار خواهند کشید، تنش را خواهند سوزاند و خاکسترآن را بر سرِ بریده اش خواهند پاشید.

پیران با دیدن آن گروه و شنیدن سخنان آن ها شگفت زده و حیران برجا ماند.

به دل گفت کای زار و بیچارگان — پر از درد و تیمار غمخوارگان
ندارید ازین آگهی بی گمان — که ایدر[1] شما را سرآید زمان
ز دریا نهنگی به جنگ آمده ست — که جوشنش چرمِ پلنگ آمده ست

آنگاه رو به آن ها کرد و گفت:

« سیاوش پروردهٔ رستم بود و اکنون که رستم برای خونخواهی او، همچون آتشی بر سر ما فرودآمده، آسمان را بر زمین خواهد آورد. نباید فرصت را از دست بدهیم. باید همهٔ فرزانگان

---

۱. ایدر: اینجا

و پهلوانان را گرد آوریم تا ببینیم چارهٔ کار چیست. شاید بهتر باشد همگی دست از جنگ برداریم و به کشورهای خود برگردیم تا از این بلا جان به در ببریم. »

خاقان غمزده از سخنانی که از پیران شنیده بود، رو به بزرگان سپاه خود کرد و از آن ها پرسید:

« چه باید کرد؟ »

از میان بزرگان سپاه، شَنگُل گفت:

« ما برای یاری افراسیاب از صحراها و دریاها گذشته ایم، با او پیمان بسته ایم و از او هدیه های بسیار گرفته ایم. مایهٔ ننگ است که در برابر یک مرد سَگزی[1] کار بر ما دشوار شود و از پیمان خود برگردیم. به جای اینکه پیوسته از او و زور و نیروی او سخن بگوییم، صبح فردا گرزها را برمی داریم و به میدان می رویم. »

و آن ها را سرزنش کرد:

« ز یک تن چنین زار و پیچان شدیم　　همه پاک ناکُشته، بی جان شدیم »

پیران با شنیدن سخنان شَنگُل، پادشاه هندآرامش یافت. از او سپاسگزاری کرد و به سراپردهٔ خود بازگشت. اما هومان هنگامی که دانست خاقان چین و دیگران پس از شنیدنِ سخنان شنگل قصد دارند، جنگ را ادامه بدهند، خشمگین شد. نزد گلباد رفت و به او گفت:

« جنگیدن با رستم کاری بی خردانه است. اینگونه که من رستم را دیده ام و از دیگران نیز دربارهٔ او شنیده ام، بیش از نیمی از سپاهیان ما در این جنگ کشته خواهند شد. »

---

۱. سَگزی: اهل سیستان، لقب رستم که معمولا تحقیر آمیز است.

گلباد او را آرام کرد و گفت که بهتر است با ترسِ بیهوده مایهٔ ننگ خود نشود، فال بد نزنند و از آنچه هنوز پیش نیامده، هراسان نباشد. چه بسا که گمان او درست در نیاید.

در اردوگاه ایرانیان، رستم همهٔ سرداران را گرد آورد و به آن ها گفت:

« هنگامی که پیران نزد من آمد و از سرِ درد با من از نیکی های خود به سیاوُش و فِریگیس و کیخسرو سخن گفت، یقین کردم که او و برادر و فرزندان و بسیاری از خویشانش در این جنگ، کشته خواهند شد. اما من نمی خواهم پیران به دست من کشته شود. چرا که او مردی درستکار است و اندیشهٔ بدی در سر ندارد. اگر پیران کسانی را که سیاوش را کشته اند، به ما بسپارد و آنچه را تورانیان از ایرانیان گرفته اند به ما باز گرداَند، با آن ها آشتی خواهیم کرد و از کشورهایی که به کمک افراسیاب آمده اند، باژ و ساو[1] خواهیم خواست. بی گمان آن ها چون توان جنگیدن با ما را ندارند، می پذیرند. »

و افزود که خواب دیده است که مرگ افراسیاب به دست کیخسرو خواهد بود.

گودرز با شنیدن سخنان رستم، از جا برخاست و پس از ستایش بسیار از او گفت که او نیز آشتی را بر جنگ ترجیح می دهد. اما پیران به گفته های خود پابند نیست. او از آنچه در این جنگ از رستم دیده، ترسیده و از آشتی سخن گفته است. اما همینکه جنگ آغاز شود، پیشاپیش سپاه توران به میدان خواهد آمد. همچنانکه در آغاز جنگ نیز پیغام داد که از جنگ بیزار است و بزودی نزد کیخسرو خواهد آمد. اما ده روز بعد با سپاه کمکی که از افراسیاب خواسته بود، جنگ را آغاز کرد.

---

۱ . باژ و ساو: باج و خراج

گودرز سپس از کشته شدن بهرام با حیلهٔ پیران یاد کرد. رستم گفت که می داند که پیران با ایرانیان همراه نیست. اما به خاطر سخنان فریب آمیز پیران نیست که نمی خواهد با او بجنگد. بلکه مهربانی هایی را که به سیاوُش کرده و رنج هایی را که برای کیخسرو کشیده، نمی تواند فراموش کند. با اینهمه اگر این بار پیران از سخنان خود برگردد و جنگ را آغازکند، با او خواهد جنگید.

پس از آن رستم پهلوانان و سرداران سپاه را به بزم دعوت کرد.

صبح روز بعد هردو سپاه آمادهٔ جنگ شدند. پیران که همچنان از رستم در هراس بود، نزد شنگُل پادشاه هند رفت و به او یادآوری کرد که شب پیش گفته است که سپاهیانش را برای جنگ با رستم به میدان خواهد آورد. شنگُل گفت که از آنچه گفته، برنخواهد گشت و در این جنگ رستم را به خاک و خون خواهد کشید و تن او را با تیرهای پیاپی خود، همچون غربال سوراخ سوراخ خواهد کرد.

سپاه توران با سی هزار سوار نیزه دار در سمت راست و سی هزار سوار با تیر و کمان در سمت چپ، به حرکت درآمد. خاقان چین در میانهٔ سپاه، سوار بر پیلی آراسته به دیبای رنگارنگ چینی، بر تختی زرین، پیش آمد. شَنگُل، در پیشاپیش سپاه چتر هندی بر سر و شمشیر هندی در دست اسب می راند. پیران با دیدن او نگرانی جنگ با رستم را از دل بیرون کرد و به هومان گفت که روزگار به کام تورانیان خواهد بود. با اینهمه به او هشدار داد که با این همه سوار دلیر و با ساز و برگ که در سپاه هستند، نیازی نیست که هومان با رستم رودررو شود. بهتر است با دویست سوار پشت سر خاقان چین، حرکت کند. زیرا اگر رستم درفش سیاه او را ببیند، روزگارش تباه خواهد شد.

باز آمدن پیران ویسه نزد رستم

پیران پس از آن به طرف سپاه ایران رفت، در نزدیکی رستم از اسب پیاده شد و پس از ستایش و دعای او گفت:

« پیغام ترا به خاقان چین و سران سپاه رساندم. پاسخ آن ها این است که می توانند آنچه ایرانیان از خواسته[1] و زر و سیم می خواهند بدهند، اما گناهکاران همه خویشان افراسیابند و سپردن آن ها به سپاه ایران، ناشدنی است. افزون بر این، مرا نکوهش بسیار کردند و گفتند که افراسیاب آن ها را از چین و هند و سرزمین های دوردست برای جنگیدن با ایرانیان به کمک خواسته است نه برای آشتی کردن با آن ها. اکنون همهٔ آن ها آمادهٔ جنگند و من یقین دارم که در این جنگ، سپاهیان ایران سوگوارِ مرگ تو خواهند شد. »

رستم با شنیدن سخنان پیران خشمگین شد. رو به او کرد و گفت:

« از نیرنگ های تو بسیار شنیده بودم. اکنون دریافتم که سراپای تو دروغ است. از آنجا که زندگی در نَفَس اژدها بی ارزش است، گمان می کردم این سرزمین شوم بیدادگری را رها می کنی و به سرزمینی آباد که پادشاهی مهربان و دادگر دارد، خواهی آمد. اکنون دانستم که تو از مار و پلنگ بیش از دیبای رنگ رنگ لذت می بری. سرانجام از تخمی که خود کاشته ای، بهره خواهی برد. »

پیران بار دیگر رستم را ستود و از او خواست که یک شب دیگر به او فرصت دهد تا در این باره بیشتر فکر کند و ببیند یاران او چه می گویند. آنگاه با دلی پرکینه و دروغ نزد سپاه توران بازگشت.

رستم رو به ایرانیان کرد و گفت:

---

۱. خواسته: دارایی

« امروز جنگی بزرگ در پیش داریم. پیش از این ستاره شناسی به من گفته بود، در میان دو کوه جنگی خونین خواهی کرد و من پیوسته از چنان روزی در هراس بودم. اکنون برای آن جنگ آماده ام، شما نیز آماده باشید! »

سپاهیان همگی گفتند که گوش به فرمان رستم دارند.

جنگ رستم با شَنگُل

در هنگامهٔ جنگ، شَنگُل، پادشاه هند، پیش آمد و فریاد زد:

« آن مرد سَگزی کجاست تا با او بجنگم. »

رستم اسب خود را به طرف او راند و گفت:

« مرا نام رستم کند زالِ زر　　تو سَگزی چرا خوانی ای بدهنر[1]

نگه کن که سَگزی کنون مرگ تست　　کفن بی گمان جوشن و ترگ[2] تست

از آفریدگار خواسته بودم که از میان بیگانگانی که به یاری افراسیاب آمده اند، کسی یارای جنگیدن با مرا داشته باشد و به طرف من بیاید. اکنون نه ازسَقلاب نامی باقی می گذارم نه از هند. »

جنگ میان آن دو در برابر هردو سپاه درگرفت. رستم بزودی شَنگُل را از زین بلند کرد و بر زمین زد. همینکه شمشیر کشید تا او را بکشد، گروهی از سواران به یاری شنگُل رفتند و او توانست از مرگ جان به در ببرد. شنگُل که از توان رستم شگفت زده شده بود، باشتاب نزد خاقان چین رفت و به او گفت که هیچکس نمی تواند به تنهایی با این اژدها بجنگد. باید با او گروهی جنگید. خاقان با لحنی ریشخندآمیز گفت:

---

۱. بدهنر: بدکار

۲. ترگ: کلاهخود

« اما تو امروز صبح به گونه ای دیگر سخن می گفتی! »

با اینهمه دستور داد تا سپاهیان همه با هم به رستم حمله کنند و گرداگرد او را بگیرند. رستم با شمشیر به بخش چپ سپاهیان چین حمله کرد و آن ها را درهم شکست. اما سپاهیان چین همچنان گِرد او را گرفته بودند. چندانکه از خنجرها و نیزه ها و تیرهاشان، رستم می پنداشت که در نیستانی به دام افتاده است. با اینهمه از پا ننشست و با ضربه های پیاپی شمشیر خود، نیزه ها را درهم شکست. مردان دلاور ایران نیز همراه با او می جنگیدند. سرتاسر میدان جنگ از تن و دست و سر مردانی که از چین و شِکنان و هند و سَقلاب آمده بودند، پوشیده شده بود. رستم به ایرانیان امید داد که آن روز، روز پیروزی آن ها خواهد بود و بزودی به تخت و تاج و پیل های خاقان چین دست خواهند یافت. آنگاه کسی را فرستاد تا به سواران سپاه بگوید، همینکه رستم به سمت راست سپاه دشمن حمله کرد، او را همراهی کنند.

بکوبید گوپال[1] و گرز گران — چو پولاد را پتک آهنگران

از انبوه ایشان مدارید باک — ز دریا به ابر اندر آرید خاک

و خود گرز به دست، به سمت راست سپاه دشمن حمله کرد و آن را درهم شکست.

کشته شدن ساوه به دست رستم

در این هنگام مردی به نام ساوه که از خویشان کاموس بود، برای کینخواهی او شمشیر به دست، اسب خود را به طرف رستم راند. ساوه همچنانکه گِرداگِرد رستم می گشت، گفت:

« هم اکنون کین کاموس را از تو خواهم گرفت، چه بسا که از این پس، جنگی نخواهی دید. »

---

۱. گوپال: گرز آهنین

رستم همین که سخنان او را شنید، گرز خود را از کمر بیرون کشید، آن را بلند کرد و بر کلاهخود ساوه کوبید.

بیفکند و رخش از بر او براند   ز ساوه به گیتی نشانی نماند

کشته شدن گهارِ گهانی به دست رستم

ناگهان از میان سپاه توران پهلوانی که گهارِ گهانی نام داشت، به میدان آمد و فریاد زد که آمده است تا کین همهٔ کشته شدگان چین و توران را از این سَگزی بگیرد. و اسب خود را به طرف او تازاند. اما همینکه به نزدیکی رستم رسید و کلاهخود او را دید، بیم زده برجای ماند. دودل شد و با خود گفت که جنگ با این پیل تنومند، همچون غوطه زدن در دریای نیل است. بهتر است به جای جنگیدن برای نام و آبرو، به موقع از میدان بگریزد و جان خود را نجات دهد. اما رستم او را دنبال کرد، نیزه ای بر کمربند او زد و خَفتان و بند بندِ اندامش را درید، و او را همچون برگی که بادی تند آن را از درخت جدا کند، بر خاک انداخت.

نگوسار کرد آن درفش کبود   تو گفتی گهارِ گهانی نبود

پس از آن رستم دستور داد که صد سوار جنگاور پیش او بفرستند تا او به خاقان چین حمله کند، و پیل و تخت عاج و تاج او را به دست آورد و برای کیخسرو بفرستد. هزار سوارِ گرز به دست، پیش آمدند. رستم به خاکِ سیاوُش و به خورشید و ماه سوگند یاد کرد که هرکدام از آن ها از جنگ با خاقان چین بگریزند،

نبیند مگر دار یا بند و چاه   به سر بر نهاده ز کاغذ کلاه[1]

---

۱. کلاه کاغذی: کلاه چوبی بزرگ و سنگینی که برای مجازات بر سر محکوم می گذاشتند. به طوری که قادر به حفظ تعادل خود نبود و او را در کوچه ها می گرداندند.

رستم در پیشاپیش سپاه به خاقان چین حمله کرد و رو به او و سپاهیانش فریاد زد:

« همگی تن به بند دهید! این پیل و تاج و تخت شایستهٔ پادشاه جوان ایران، کیخسرو است. من آن ها را برای پادشاه ایران زمین خواهم فرستاد. »

خاقان چین برآشفت و او را دشنام داد:

« ای سَگزی پلید و بد سرشت! تو بایستی از پادشاه ایران به من پناه بیاوری! »

باران تیر از دو طرف درگرفت. گودرز که چنین دید، رُهّام را با دویست سوار تیرانداز برای پشتیبانی رستم روانه کرد و گیو را به سمت راست سپاه توران فرستاد تا با پیران و هومان بجنگد. و رو به سپاهیان چین فریاد زد:

اَیا گم شده بخت، بیچارگان! همه زار و پیچان و غمخوارگان!
شما را ز رستم نبود آگهی؟ وُ گر[1] مغزتان از خِرَد بُد تهی
کجا[2] اژدها را ندارد به مرد[3] همی پیل جوید به روز نبرد

آنگاه حلقهٔ کمند را به برآمدگی پشت زینِ رخش بست و او را تازاند. کمند را پی در پی انداخت و بسیاری از سرداران سپاه توران را به بند کشید. سپاهیان ایران بی درنگ دستِ آن ها را بستند و به کوه بردند.

پیغام فرستادن خاقان چین به رستم

خاقان چین هنگامی که دلاوری و توانایی رستم را در کمند انداختن دید، یکی از بزرگان سپاه خود را که زبان ایرانیان را می دانست، نزد او فرستاد تا به رستم بگوید که هیچ یک از کسانی

---

۱. گر: اگر: یا

۲. کجا: که

۳. به مرد داشتن: دلیر و جنگاور به حساب آوردن

که از کشورهای گوناگون به این جنگ آمده اند، با او دشمنی ندارند. افراسیابِ بی خرد آن ها را به این جنگ واداشته است. خاقان می داند که رستم نیز با آن ها دشمن نیست. پس بهتر است که دست از جنگ بکشد.

رستم در پاسخ پیغام خاقان چین به فرستادهٔ او گفت:

« خاقان برای تاراج ایران به این جنگ آمده بود. اکنون که مرا در سپاه ایران می بیند، از دَرِ لابه و گفت و گو درآمده است. من آشتی را می پذیرم و از خون او می گذرم، اما پیل و تخت عاج و تاج و گنجینهٔ او از آنِ من است. »

فرستاده گفت: « ای خداوند رخش [1]   به دشت آهوی ناگرفته مبخش [2]

هنوز هیچ کس نمی داند که سرانجام این جنگ چه خواهد بود و چه کسی پیروز خواهد شد. »

رستم با شنیدن این سخنان، رخش را به حرکت در آورد و گفت:

« من پهلوانی تاج بخش و شیرافکنم و نیازی به فریبکاری و پند هیچ کس ندارم. »

اسیر شدن خاقان در کمند رستم

رستم همچنان که پیاپی کمند می انداخت و سواران توران و چین را به بند می کشید، به خاقان چین که بر پیلی سپید رنگ سوار بود، نزدیک شد، با یک حرکت، کمند را بر گردن او انداخت و از پیل پایین کشید. سواران ایرانی پیش آمدند، دست های خاقان را بستند و او را پیاده به کوهِ شهد بردند.

---

۱. خداوند رخش: صاحب رخش

۲. آهوی ناگرفته بخشیدن: بخشیدن چیزی که وجود ندارد

رستم
خاقان چین

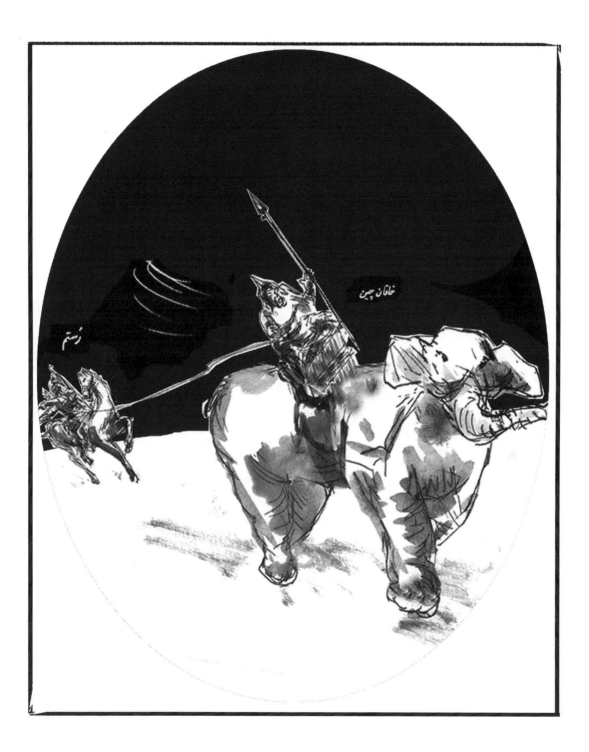

پس از آن رستم با گرز به سپاه چین حمله کرد و بسیاری از آن ها را کشته یا مجروح بر خاک انداخت.

چنان شد در و دشتِ آوردگاه　　　　که شد تنگ بر مور و بر پشه، راه

ناگهان بادی سخت وزید و ابری سیاه، خورشید را پوشاند. تورانیان سراسیمه و پریشان از میدان گریختند و رو به بیابان گذاشتند. پیران که از سرانجام منثور و فرطوس و خاقان چین و از دیدن انبوه کشتگان و مجروحانِ بر خاک افتاده، سخت ناامید شده بود، به گلباد و نستیهن گفت که درفش ها را بر زمین بگذارند، ابزار جنگ خود را پنهان کنند و از هر راه که می توانند، از میدان جنگ دور شوند. اما گیو همچنان در جست و جوی پیران بود. با مردان خود حملهٔ دیگری به سپاه توران کرد و چون او را نیافت، به کوه برگشت.

آن شب سپاهیان ایران خسته، اما پیروز و شادمان گرد هم آمدند.

پر از خون پر و پای و تیغ و رِکیب[1]　　　　ز کشته نه پیدا فراز از نشیب

چنین تا ز شُستن نپرداختند　　　　یکی از دگر باز نشناختند

سر و تن بشستند و دل شُسته بود　　　　که دشمن به بند گران بسته بود

پس از شست و شو، رستم از سرداران ایران خواست که سر بر خاک بگذارند و آفریدگار را سپاس بگویند چراکه هیچ یک از بزرگان سپاه در این جنگ آسیبی ندیده بود. و افزود که هرگز در هیچ جنگی، حتی در جنگ مازندران با همهٔ دشواری هایی که داشت، ناامید نشده بود اما با دیدن سپاهیان بی شمار خاقان چین و کاموس و دیگران، امید به پیروزی را از دست داده

1. رکیب: رکاب

بود. اکنون همگی آن ها باید آفریدگار را سپاس بگویند و از او درخواست کنند که پس از این پیروزی، شکستی پیش نیاید.

سپس دستور داد تا بی درنگ کسی را نزد کیخسرو بفرستند و خبر این پیروزی را به پادشاه جوان برسانند. بزرگان سپاه ایران بر او آفرین گفتند؛

همه کشته بودیم و برگشته روز   به تو زنده گشتیم و گیتی فروز

رستم همۀ سرداران سپاه ایران را به میگساری فراخواند.

آن شب، ماه تخت خود را بر آسمان پیروزه رنگ گذاشت و ستارگان را همچون سواران پیشاهنگ، بر سرتاسر آسمان پراکند. در پایان شب هنگامی که خنجر درخشان خورشید، شب را به خون کشید و زمین را به رنگ یاقوت در آورد، صدای کوس و دهل از سراپرده ها برخاست، رستم سرداران را گرد آورد و به آن ها گفت:

« دیروز نتوانستیم پیران را پیدا کنیم. امروز باید سپاهیان را بفرستیم تا او را بیابند. »

بیژن پیش از دیگران به دشت رفت. تورانیان و چینیان سراپرده ها را رها کرده و گریخته بودند. رستم از اینکه نگهبانان سرتاسر شب را در خواب بودند و آن ها به آسانی گریخته بودند، سخت خشمگین شد و طوس را سرزنش کرد که رنج هایی را که برای پیروزی کشیده بود، بر باد داده است. و به بیژن دستورداد که به جست و جوی گلباد و پیران و دیگران برود.

رستم آنچه از ابزار جنگ و تاج و تخت و کمربند های زرین از سپاهیان توران و چین برجا مانده بود و همچنین همۀ کسانی را که به بند کشیده بود، به فریبرز سپرد تا نزد کیخسرو

ببرد. نامه ای نیز با فریبرز همراه کرد. در آن نامه از همهٔ آنچه در آن جنگ چهل روزه گذشته بود، سخن گفت و به او خبر داد که با سپاهیان ایران به کَنگ می رود تا گُروی را که سیاوُش را کشته بود، بیابد و نابود کند.

صبح روز بعد همینکه خورشید، شب لاژوردی را با دیبای طلایی رنگ خود پوشاند، رستم همراه با سپاهیان به طرف کنگ به راه افتاد و به گیو و طوس و گودرز گفت که این بار چنان خواهد جنگید که دشمنان بداندیش به ستوه بیایند و افراسیاب را که برای جنگیدن با ایرانیان از چین و سَقلاب و شِکنان یاری خواسته است، آنچنان درمانده خواهد کرد که هرگز هیچ یک از آن پادشاهان از او فرمان نبرند و به یاری او نیایند.

بزودی رستم و سپاهیان به بیشه ای رسیدند. سراپرده ها را بر پا کردند و چندی در آنجا ماندند. پادشاهان کشورهای نزدیک که خبر آمدن رستم را شنیدند، هدیه های بسیار نزد او فرستادند.

هنگامی که فریبرز به بارگاه کیخسرو رسید. پادشاه به پذیرهٔ او رفت و با دیدن دشمنانِ دربند کشیده، آفریدگار را سپاس گفت که به او پادشاهی بخشیده و در شکست دادن افراسیاب ستمکار که پدر او را کشته، یاری داده است. پس از آن در پاسخ رستم نامه ای پر از ستایش و سپاس نوشت و همراه با آن هدیه های بسیار برای او و سران سپاه فرستاد و دستور داد که رستم جنگ با افراسیاب را دنبال کند.

آگاهی یافتن افراسیاب از شکستِ لشکر

هنگامی که افراسیاب خبر شکست سپاهیان توران و خاقان چین و اسیرشدن خاقان و بزرگان دیگر و همچنین گریختن پیران را به خُتن شنید، با دلی دردمند و خاطری پراندوه، بزرگان و فرزانگان توران را گرد آورد و آن ها را از آنچه پیش آمده بود، باخبر کرد. او به ویژه از توان و نیروی رستم و از آنچه پیش از آن در جنگ های بسیار از او دیده یا از دیگران شنیده بود، سخن گفت و افزود که اگر رستم سالار سپاه ایران باشد، در توران هیچ نشانه ای از زندگی برجا نخواهد ماند. باید برای رویارویی با او چاره ای اندیشید. بزرگان توران نخست افراسیاب را از اینکه از پادشاهان دیگر کشورها کمک خواسته، سرزنش کردند، اما او را دلداری دادند که از سپاهیان توران، شمار زیادی کشته نشده اند و نباید از رستم بیمی در دل داشته باشد، چرا که هراس او از رستم مایهٔ شادکامی دشمن خواهد بود. و گفتند که همگی آن ها برای جنگ آماده اند، با ایرانیان خواهند جنگید و هیچ یک از آن ها را زنده نخواهند گذاشت. با شنیدن سخنان آن ها، افراسیاب دلگرم شد و بار دیگر دست به گردآوری سپاه و فراهم آوردن ابزار جنگ زد.

رسیدن رستم به شهر آدمخواران

پس از آنکه فریبرز با هدیه های کیخسرو به اردوگاه ایرانیان رسید، رستم همراه با سپاه ایران به سُغد رفت و دو هفته درآنجا به شکار و میگساری گذراند. سپس از آنجا به راه افتاد. بزودی

به شهری رسید که نام آن بیداد بود و مردمان آن آدمیخوار بودند. پادشاه این شهر کافور نام داشت. رستم فرمان داد تا گُستَهم و دوتن از پهلوانان دلیر سپاه ایران با سه هزار سوار به جنگ او بروند. کافور سرداران خود و مردم شهر را برای رویارویی با آن ها آماده کرد. بزودی جنگ درگرفت و شمار بسیاری از ایرانیان کشته شدند. گستهم، بیژن را نزد رستم فرستاد و پیغام داد که با دویست سوار به کمک او بیاید. رستم باشتاب بسیار همچون باد خود را به آنجا رساند. و همینکه با کافور رودر رو شد،

به کافور گفت: ای بدِ بدهنر[1] کنون رزم و بزم تو آرم به سر

کافور با شنیدن سخنان رستم، شمشیرش را همچون تیر به طرف او پرتاب کرد. رستم با چالاکی بسیار، سپرش را پیش رو گرفت. کافور که کاری از پیش نبرده بود، کوشید که طوس را به کمند بیندازد. اما رستم تمسخرکنان، با یک ضربهٔ گرز، کلاهخود و سر کافور را در هم شکست. سپس به سپاهیان کافور حمله برد و آن ها را تا دروازهٔ دژ دنبال کرد. مردان کافور به دژ پناه بردند، دروازه را بستند، بالای بام رفتند و از آنجا فریاد زدند که آن دژ را تور پسر فریدون ساخته است و جادویی به کار برده، که منجنیق[2] برآن کارگر نشود. از زمان او تاکنون، مردان دلاور بسیاری برای راه یافتن به آنجا بیهوده تلاش کرده اند. رستم نیز برای گشودن آنجا کاری از پیش نخواهد برد.

رستم چاره ای اندیشید. نخست دستور داد تا سپاهیان در چهار طرف دژ بایستند. و هرکس را که بالای دیوار دیده می شد، زیر باران تیرهای خود بگیرند. پس از آن به دستور او پشت

---

۱. بدهنر: بدکار

۲. منجنیق: نوعی ابزار جنگی که با آن سنگ به طرف دیوار دژ پرتاب می کردند.

دیوار دژ را کندند، ستون هایی از چوب در زیر آن گذاشتند وآن ها را به نفت سیاه آغشته کردند. سپس چوب ها را آتش زدند. دیوار بر اثر آتش فرو ریخت. بیژن و گستهم سپاه را پیش بردند. کسانی که در دژ بودند از گرمای آتش بیرون ریختند و به بیابان گریختند. دژ و آنچه در آن بود، به دست ایرانیان افتاد.

پس از آن رستم، گیو را با ده هزار سوار به ختن فرستاد تا از گرد آمدن تورانیان در آنجا جلوگیری کند. گیو شب هنگام به طرف ختن به راه افتاد. سه روز در آنجا جنگید و با غنیمت بسیار به اردوگاه برگشت. چند روز بعد سپاهیان ایران برای جنگ با افراسیاب از آنجا به راه افتادند.

هنگامی که خبر حملهٔ ایرانیان به توران به افراسیاب رسید، سخت اندوهگین شد. چرا که می دانست اگرچه سپاهیان بسیاری گِرد آورده، اما در میان آن ها هیچ مرد دلاوری نیست که توان رودررو شدن با رستم را داشته باشد. از این رو از سرداران خود پرسید که در این جنگ، همتا و هماورد رستم کیست؟ و از زور و توان رستم گفت و از جنگی یاد کرد که سال ها پیش در آن با رستم رودررو شده بود و با آنکه رستم بسیار جوان بود، افراسیاب را به آسانی با نیزه از روی زین بلند کرده بود. سرداران به او دلگرمی دادند و گفتندکه هراس او از رستم بیهوده است. افراسیاب خود توان این را دارد که خاک میدان جنگ را از خون به جوشش در آورد. و افزودند که تورانیان، سپاه بسیار و ساز و برگ فراوان دارند و همه جوان و نیرومندند و او بی گمان با این لشکر می تواند هم رستم و هم کیخسرو را نابود کند. و از ایران و پادشاه آن نشانی برجا نگذارد.

همه سر به سر تن به کشتن دهیم   از آن به که گیتی به دشمن دهیم

افراسیاب از سخنان آن ها دلگرم شد و شکستی را که از رستم خورده بود، فراموش کرد. پس دستور داد تا سپاهیان برای جنگ آماده شوند. سپس فرغار را که مردی دلاور و جنگ دیده بود پنهانی به نزدیکی سپاه ایران فرستاد تا از چند و چون و شمار آن ها برای او خبر بیاورد. اما همینکه فرغار به راه افتاد، باز هم هراس از رستم و شکست در جنگی که در پیش داشت، بر افراسیاب چیره شد. پس پسر خود شیده را خواست و با او یکبار دیگر از زور و توان رستم گفت و از اسب او، رخش:

یکی کوه زیرش به کردار باد   تو گویی که از ابر دارد نژاد

تگ آهوان دارد و هول شیر   به دریا چو دیو و به خشکی دلیر

و اینکه امیدی به پیروزی ندارد و بهتر می بیند که گنج ها و اشیای گرانبهای خود را به الماس رود بفرستد. تا اگر شکست خورد، به آن سوی دریای چین برود و توران را یکسره به رستم واگذارد. شیده کوشید تا او را آرام و به پیروزی امیدوار کند.

شب هنگام که فرغار برگشت و از اردوگاه ایرانیان و از رستم و سراپرده و اسب او و طوس و گودرز و گیو و دیگر بزرگان سپاه ایران خبرهایی آورد، افراسیاب بار دیگر به هراس افتاد. پیران را خواست و یکبار دیگر با او درین باره سخن گفت. اما پیران در پاسخ او گفت که چاره ای جز جنگیدن ندارند. افراسیاب ناچار، فرمان داد تا پیران سپاهیان را آماده کند و به بیرون شهر ببرد.

افراسیاب که همچنان از سرانجام آن جنگ ناامید بود، نامه ای به پولادوند نوشت و از او برای جنگ با رستم یاری خواست و وعده داد که اگر پولادوند رستم را نابود کند، نیمی از پادشاهی خود را به او خواهد بخشید. شیده، پسر افراسیاب نامه را به پولادوند رساند، او نیز بی درنگ همراه با سپاهیان خود نزد افراسیاب آمد. افراسیاب با شادمانی و مهربانی بسیار او را پذیرفت و با او از جنگی که پیش از آن کرده بود و جنگی که در پیش بود، سخن گفت و افزود که در این جنگ تنها از رستم بیم دارد که بسیار نیرومند است و هیچ سلاحی بر او کارگر نیست. پولادوند با شنیدن سخنان افراسیاب، از رستم بیمناک شد و اندیشید که راهی برای رهایی از این کار دشوار بیابد. پس گفت:

« اگر رستم همان پهلوانی است که با دیوان مازندران جنگید و جگرگاه دیو سپید را درید، من توان رویارویی با او را ندارم. اما می توانم در روز جنگ با ترفند و تدبیر او را با خود درگیر کنم تا تو بتوانی سپاهیانت را به جنگ با لشکر او وادار کنی وگرنه خود او را نمی توان از پا درآورد. »

افراسیاب کمی آرامش یافت. بزمی آراست و با او به میگساری نشست.

آن شب، پولادوند سرخوش از میگساری، هراس هایی را که از رستم داشت، یکسره از یاد برد و با صدای بلند از دلاوری های خود در جنگی که در پیش داشت، گفت:

من این زاوُلی را به شمشیر تیز   برآوردگه بر کُنم ریز ریز !

جنگ رستم زال با پولادوند

هنگامی که خورشید، درفش درخشان خود را بر افراشت و پرنیان بنفش آسمان، به رنگ زرد در آمد، خروش طبل و دهل از بارگاه افراسیاب به آسمان رسید. سپاهیان توران به راه افتادند و بزودی در برابر سپاه ایران صف کشیدند. رستم ببربیان[1] بر تن، سوار بر رخش، پیش آمد.

جنگ آغاز شد. رستم نخست به سمت راست سپاه توران حمله کرد و بسیاری از آن ها را از پا انداخت. پولادوند کمند بر بازو و گرز در دست، به طرف طوس رفت. جنگ میان آن دو آغاز شد. بزودی پولادوند، کمربند طوس را گرفت، او را از روی زین بلند کرد و بر زمین زد. گیو همین که چنین دید، اسب خود را به طرف پولادوند تازاند، اما او به آسانی گیو را در کمند خود انداخت. رهّام و بیژن، هردو به طرف پولادوند تاختند تا او را به بند بکشند، اما او پیش آمد و هردو را از اسب به زیر انداخت و درفش کاویانی را با خنجر به دونیم کرد. فریبرز و گودرز و چند تن از سرداران ایران، شتابزده خود را به رستم رساندند و از او کمک خواستند. رستم، رخش را به طرف پولادوند تاخت. با دیدن سپاهیان درهم شکسته با خود گفت:

« امروز، بخت با ما سرِ سازگاری ندارد. »

و آرزو کرد که کور شده بود و سرداران ایران را پیاده از اسب و در کمندِ دشمن نمی دید. پس با خشم بسیار به طرف پولادوند تاخت، کمند انداخت تا او را به بند بکشد. اما پولادوند با چابکی بسیار سر و گردن خود را خم کرد تا کمند بر گردن او نیفتد و با آنکه روبروشدن با رستم او را ترسانده بود، رو به او کرد و گفت:

---

۱. ببر بیان: خَفتانی از پوست ببر یا اژدهایی که پوست زخم ناپذیر داشته و بنابر افسانه ها، به دست رستم کشته شده بود

نگه کن کنون آتش جنگ من — کمند و دل و زور و آهنگ من ...

نبینی زمین زین سپس جز به خواب — سپارم سپاهت به افراسیاب

رستم در پاسخ او گفت که نه او و نه هیچ جنگاور دیگری، بهتر است چنین سخنانی بر زبان نیاورند، چون بی گمان سرِ خود را بر باد خواهند داد.

هردو با هم جنگیدند. رستم با گرز ضربه ای بر سر پولادوند زد. آنچنانکه هردو سپاه صدای آن را شنیدند. جهان پیش چشم پولادوند سیاه شد. توانایی نگه داشتن عنان اسب را نداشت. با اینهمه خود را بر روی زین نگه داشت. رستم از آفریدگار خواست که اگر جنگ او نارواست، پولادوند را در کشتن او یاری دهد. و اگر ستمگری از سوی افراسیاب است، به رستم توانِ پیروزی ببخشد.

که گر من شوم کشته بر دست اوی — بِدایران[1] نمانَد یکی جنگجوی

نه مرد کشاورز و نه پیشه ور — نه خاک و نه کشور، نه بوم و نه بر

چون جنگ به سرانجام نرسید، رستم و پولادوند بر آن شدند که با یکدیگر کشتی بگیرند و با هم پیمان کردند که از هیچ یک از دو سپاه، کسی به یاری آن ها نیاید. آن دو دور از سپاهیان همچون دو شیرِ خشمناک با هم درآویختند. شیده پسر افراسیاب که از دور چشم بر آن ها داشت، هنگامی که توان و نیروی رستم را دید، به پدر گفت که بزودی پولادوند شکست خواهد خورد و سواران توران، جز گریز چاره ای نخواهند داشت. افراسیاب به او دستور داد

---

۱. بدیران: به ایران

که به آن دو نزدیک شود تا ببیند پولادوند چگونه کشتی می‌گیرد. شیده به یاد او آورد که قرار بر این است که هیچکس به آن‌ها نزدیک نشود و بهتر است افراسیاب پیمان شکنی نکند.

افراسیاب خشمگین او را دشنام داد؛

بدو گفت: اگر دیو پولادوند   ازین مردِ بدخواه یابد گزند،

نماند برین رزمگه زنده کس   ترا از هنرها زبان است و بس

و خشمناک به طرف رستم و پولادوند تاخت و همینکه به آن دو که همچون دو پیل مست به یکدیگر در آویخته بودند، رسید، به پولادوند گفت که اگر پشت رستم را به خاک برساند، بی درنگ جگرگاه او را با خنجر بشکافد. گیو همینکه نزدیک شدن افراسیاب را به آن دو دید و گفته های او را شنید، شتابان خود را به آنجا رساند و به رستم گفت که آمدن افراسیاب به آنجا پیمان شکنی است. رستم گفت:

« از پیمان شکنی افراسیاب بیم نداشته باش! این مرد توانی ندارد. بزودی پشت او را به خاک خواهم رساند و افراسیاب رسوا و بی آبرو خواهد شد. »

آنگاه دست پیش برد، پولادوند را بلند کرد، بالای سرخود برد و بر زمین زد. و شادمان از پیروزی، آفریدگار را سپاس گفت. سپاهیان ایران از شادی فریاد کشیدند و طبل ها را به صدا درآوردند.

پولادوند
گیو
رُستم
افراسیاب

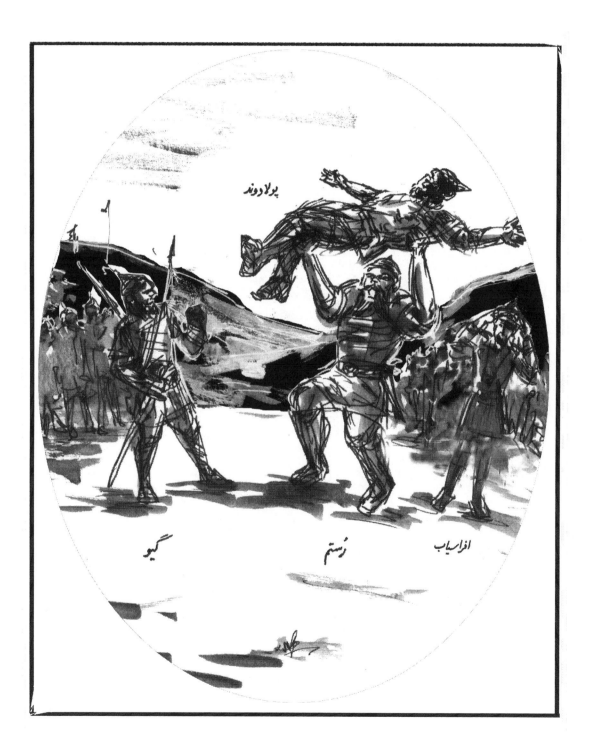

رستم که گمان می کرد آنگونه که او پولادوند را بر زمین کوبیده، بند بندِ تن او از هم گسیخته است، او را همانجا رها کرد و نزد سپاه ایران برگشت. پولادوند اندکی بعد، از جا بلند شد و به طرف جایگاه افراسیاب گریخت. رستم دستور داد که ایرانیان سپاه توران را زیر باران تیرهای خود بگیرند. بیژن و گیو و رُهّام و گرگین نیز به سپاه توران حمله کردند.

تو گفتی که آتش برافروختند   جهان را به خنجر همی سوختند

پولادوند سپاهیان خود را گرد آورد و به کشور خود باز گشت.

پیران به سختی افراسیاب را سرزنش کرد که با کشتن سیاوُش، مایهٔ پریشانی و رنج تورانیان شده و هیچ یک از کسانی که از آن ها کمک خواسته است، کاری از پیش نبرده اند. اکنون نیز با سپاهیان فراوانی که ایرانیان دارند و با بودن رستم و گریختنِ پولادوند، افراسیاب در آنجا توان پایداری نخواهد داشت. بهتر است سپاهیان را همانجا بگذارد و با خویشان و نزدیکان خود به آن سوی دریای چین برود، زیرا اگر جایی بتواند آرامش داشته باشد، آنجاست. افراسیاب بی درنگ به طرف چین و ماچین روانه شد. سپاهیان ایران و توران به جنگ ادامه دادند. شمار بسیاری از تورانیان کشته شدند. گروهی نیز از میدان جنگ گریختند و آن ها که مانده بودند، ناچار زنهار خواستند. رستم دستور داد که ایرانیان دست از جنگ بردارند، کسانی را به جست و جوی افراسیاب فرستاد، اما هیچ نشانی از او به دست نیامد. جنگ پایان یافت.

بازگشتن رستم و پهلوانان ایران از توران

سپاهیان ایران، به دستور رستم آنچه را از تورانیان بر جای مانده بود، گرد آوردند و به طرف ایران به راه افتادند. همینکه خبر بازگشت رستم و سپاهیان به ایران رسید، فریاد شادی از

شهر و از کاخ پادشاهی برخاست. شهر را آراستند و کیخسرو سوار بر پیل به پذیرهٔ آن ها رفت. رستم با دیدن پادشاه از اسب پیاده شد. در برابر او سر خم کرد و او را ستود. رستم و دیگر سرداران ایران همراه با کیخسرو به کاخ او رفتند. پادشاه جوان، شادمان از پیروزی آن ها، از میدان جنگ و از آنچه گذشته بود، پرسید.

چنین گفت گودرز کای شهریار   سخن ها دراز است ازین کارزار

می و جام و آرام باید نخست   پس آنگاه ازین کار پُرسی درست

کیخسرو خندید وگفت:

« می دانم، همه گرسنه اید! »

و دستور داد خوردنی های بسیار آوردند و رامشگران بزمی شایسته آراستند. گودرز دلاوری های رستم را ستود، کیخسرو او را دعا کرد و رستم از آنچه در جنگ گذشته بود، سخن گفت.

سخن های رستم به نای و به رود   بگفتند بر پهلوانی سرود

رستم یک ماه در بارگاه کیخسرو ماند. سپس از او اجازه خواست تا به دیدار پدر خود زال برود. کیخسرو خلعت های گرانبهای بسیار به رستم بخشید و او را دو منزل همراهی کرد. رستم پیروز و شادمان به سیستان رفت.

سراسر جهان گشت بر شاه راست   همی رفت گیتی بر آنسان که خواست

داستان رستم و اکوانِ دیو

روزی کیخسرو در بارگاه خود با رستم و سرداران بزرگ ایران، جشنی برپا کرده بود. در میانهٔ جشن، چوپانِ اسب های پادشاهی به پیشگاه او آمد و خبر داد که گورخری شگفت انگیز به رنگ طلا و آفتاب، که خطی سیاه همانند مُشک، از یال تا دم دارد، گاه گاه به دشت می آید و به اسب های گله حمله می کند و آن ها را از پا در می آورَد. کیخسرو دریافت که حیوانی با آن زیبایی و توان، نمی تواند گورخر باشد. بی درنگ از رستم خواست که به دشت برود و آن را از میان ببرد. و به او هشدار داد که چه بسا این گورخر اهریمنی بدنهاد باشد. رستم در پاسخ او گفت که به یاری بخت پادشاه، آن حیوان، چه دیو چه شیر چه اژدها، از شمشیر او رهایی نخواهد داشت.

بزودی رستم سوار بر رخش و کمند در دست، خود را به دشتی رساند که گله اسبان کیخسرو در آن بود. سه روز برای یافتن آن حیوان جست و جو کرد. روز چهارم گورخر همچون باد از آنجا گذشت. رستم به طرف او تاخت و خنجر کشید تا او را بکشد. اما با خود اندیشید که بهتر است او را زنده بگیرد و نزد کیخسرو ببرد. پس کمند خود را به طرف او انداخت. گورخر ناگهان ناپدید شد.

بدانست رستم که آن نیست گور ||| ابا [1] او کنون چاره باید، نه زور

جز آکوانِ دیو این نشاید بُدن ||| ببایستش از باد[2] تیغی زدن[3]

به شمشیر باید کنون چاره کرد ||| دوانیدن خون بر آن زرّ زرد

چند لحظه بعد گورخر یک بار دیگر پیدا شد. رستم رخش را تازاند و تیری همچون آتش به طرف او انداخت. این بار گورخر یکسره ناپدید شد. رستم سه روز و سه شب در آن دشت در جست و جوی او، اسب راند. سرانجام گرسنه و تشنه، به چشمه ای روشن و زلال رسید که آبی همچون گلاب داشت. پیاده شد. به رخش آب داد و او را رها کرد تا چرا کند. سپس نمد زین[4] را در کنار چشمه پهن کرد، زین رخش را زیر سر گذاشت و خوابید.

آکوانِ دیو همینکه از دور رستم را دید، خود را به او رساند. زمینی را که بر آن خوابیده بود، برید، او را برداشت و با خود به آسمان برد. در این هنگام رستم بیدار شد. آکوانِ دیو پرسید که او را به دریا بیندازد یا کوه. رستم با خود اندیشید که اگر او را به کوهستان بیندازد، استخوان هایش درهم خواهد شکست. می دانست که رفتار دیو وارونه است. از این رو به او گفت:

« از دانشمندی چینی شنیده ام که هرکس در دریا بمیرد، روان او پیوسته در این جهان می مانَد و هرگز آرامش نخواهد یافت. مرا به کوه بینداز! تا در آنجا زور بازوی خود را به شیران و ببران نشان دهم. »

---

۱. ابا: با

۲. از باد: شتابان، با سرعت

۳. تیغ زدن: با شمشیر ضربه زدن

۴. نمد زین : نمدی که زیر زین و بر پشت اسب می نهند تا سختی چوب زین اسب را آزرده نکند.

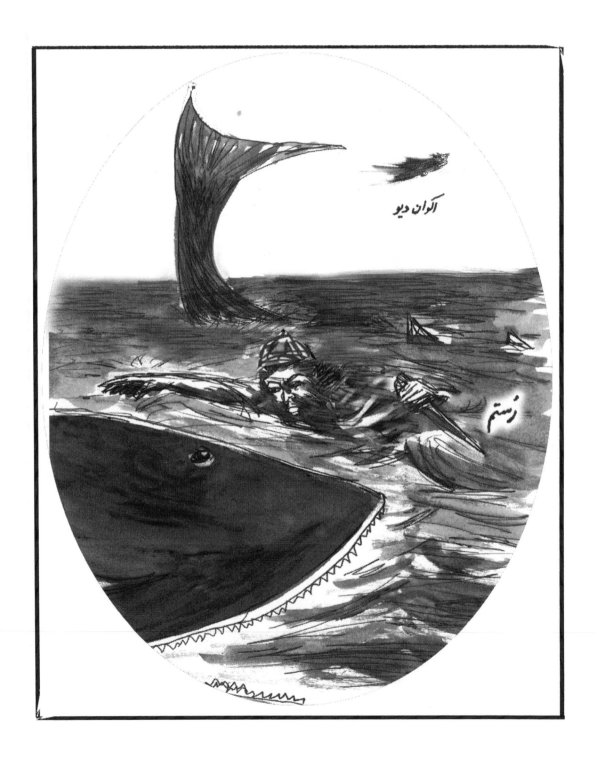

اکوان دیو

رستم

اَکوانِ دیو گفت:

« ترا به دریا می اندازم تا هیچگاه آرامش نداشته باشی. »

و او را از آسمان به دریا پرت کرد. رستم با یک دست، نهنگ ها و ماهیانی را که به او هجوم آوردند، با شمشیر کشت و با دست دیگر شنا کرد و خود را به ساحل رساند. در آنجا نخست آفریدگار را سپاس گفت. سپس ببربیان را از تن بیرون آورد، خشک کرد و پوشید. به طرف چشمه ای رفت که پیش از آن اَکوانِ دیو او را از آنجا به آسمان برده بود. رخش را درآنجا ندید. زین و لگام او را برداشت و در تاریکی شب برای یافتن او به راه افتاد.

صبحگاه به بیشه ای پر آب و درخت رسید که چراگاه اسبان افراسیاب بود. رخش را در میان گله اسبان دید. با کمند او را گرفت. گرد و خاک تن او را پاک کرد، سوار شد و گلهٔ اسب ها را پیش راند. چوپان افراسیاب که از سروصدای اسب ها بیدار شده بود، با یاران خود به دنبال او رفت. رستم همینکه آن ها را دید، فریاد زد:

« من رستمم! پسرِ دستانِ سام! »

و شمشیر کشید و شماری از آن ها را کشت. چوپان ناچار گریخت. اما رستم او را دنبال کرد. در این هنگام افراسیاب با گروهی از سواران خود برای شکار به بیشه آمد. از دور سروصدای اسب ها را شنید، اما از چوپان و از اسب ها نشانی ندید. اندکی بعد، چوپان از راه رسید و به افراسیاب خبر داد که رستم یک تنه بسیاری از یاران او را کشته و گلّهٔ اسبان را با خود برده است.

رفتن افراسیاب به دنبال رستم

افراسیاب با چهار پیل و شمار بسیاری از سپاهیان، رستم را دنبال کرد. اما همینکه به نزدیکی او رسید، رستم او و همراهانش را زیر باران تیرها و ضربه های شمشیر خود گرفت. بسیاری

از سواران افراسیاب از پا درآمدند و او چاره ای جز بازگشت نداشت. رستم با گلهٔ اسب ها و پیل هایی که از او گرفته بود، به طرف بارگاه کیخسرو به راه افتاد.

در راه بار دیگر به آن چشمه رسید.

دگر باره اکوان بدو باز خَورد نگشتی - بدو گفت - سیر از نبرد؟

برَستی ز دریا و چنگ نهنگ به دشت آمدی باز پیچان به جنگ؟

رستم بی درنگ کمند انداخت، اَکوانِ دیو را به بند کشید، با گرز ضربه ای بر سر او زد و سرش را با خنجر از تن جدا کرد.

سرانجام رستم با چهار پیل و گله ای اسب، به بارگاه کیخسرو رسید. پادشاه به پیشواز او رفت و با خود به کاخ برد. رستم پیل ها را به کیخسرو پیشکش کرد و اسب ها را به سواران سپاه بخشید. دو هفته بعد که خواست به سیستان برگردد، به کیخسرو گفت:

شوم زود و آیم به درگاه باز بباید همی کینه را کرد ساز

که کین سیاوُش به اسپ و گله نشاید چنین خوار[۱] کردن یله[۲]

پادشاه از او خواست یک روز دیگر بماند. شب را به باده نوشی گذراندند. صبح روز بعد رستم با هدیه های گرانبهای بسیار، از دیبا و دینار و گستردنی و پوشیدنی که کیخسرو به او بخشیده بود، به طرف سیستان به راه افتاد. کیخسرو دو فرسنگ او را همراهی کرد و به شهر بازگشت.

جهان پاک پرمهر او گشت راست همی گشت گیتی برآنسان که خواست

---

۱. خوار: به سادگی

۲. یله کردن: رها کردن

داستان بیژن و منیژه

پس از شکست افراسیاب و گریختن او به آن طرف دریای چین، یک روز که کیخسرو پیروز و کامکار با بزرگان و سرداران لشکر، بزمی آراسته بود، یکی از پرده دارانِ[1] بارگاه نزد سالارِ بار[2] آمد و به او گفت که گروهی از مردم اِرمان برای دیدار با پادشاه آمده اند. سالارِ بار نزد کیخسرو رفت و از او اجازه خواست تا آن ها را به بارگاه راه دهد. کیخسرو پذیرفت.

اِرمانیان به کیخسرو گفتند که از شهر اِرمان، درنزدیکی مرز توران آمده اند و شکوه کردند که چندی است که گرازهای وحشی به بیشهٔ بزرگِ نزدیک شهر که کشتزار و چراگاه چارپایان آن هاست، حمله می کنند و آنچه را در آنجاست از میان می برند. کیخسرو از شنیدن سخنان آن ها سخت غمگین شد. رو به بزرگان و پهلوانان کرد و پرسید که کدام یک از آن ها آماده است به آن بیشه برود؟ و دستور داد تا طبقی بزرگ پر از زر و سیم و دیبای رومی آوردند و گفت که تمامی آن ها و ده اسبِ زرین لگام، پاداش کسی است که این کار را انجام دهد. از میان پهلوانان، بیژن پسر گیو پا پیش گذاشت و گفت که برای این کار آماده است. گیو که جنگ با گرازان را کاری دشوار و پرخطر می دید، او را از این کار بازداشت و گفت که

۱. پرده دار: حاجِب؛ کسی که اجازهٔ دیدار با پادشاه را از سالاربار می گیرد.

۲. سالار بار: رئیس تشریفات؛کسی که اجازهٔ حضور دیدارکنندگان را از پادشاه می گیرد.

چندان به نیروی خود مطمئن نباشد. چون راه های آن سرزمین را نمی شناسد، بهتر است جوانی نکند و پیش پادشاه آبروی خود را نریزد.

بیژن از سخنان پدر برآشفته شد. رو به پادشاه کرد و گفت:

« از تصمیم خود برنخواهم گشت. سخنان مرا باور کن! چراکه هم جوانم و هم تیزهوش و زیرک! »

کیخسرو به او آفرین گفت و دستور داد تا گرگینِ میلاد که راه های آن سرزمین را می شناخت، با بیژن همراه شود و او را کمک و راهنمایی کند.

بیژن و گرگین به طرف اِرمان به راه افتادند و شکارکنان به آن بیشه رسیدند. بیژن به گرگین گفت:

« من با تیر و کمان به گرازها حمله می کنم. تو بیرون از بیشه، گرز به دست بایست و چشم به آن ها داشته باش تا گرازهایی را که فرار می کنند، از پا بیندازی. »

گرگین گفت:

« برای کشتن گرازها تو از پادشاه هدیه گرفته ای نه من! »

بیژن خشمگین از سخنان او، اسب خود را به درون بیشه راند، تیر و کمان به دست گرازها را دنبال کرد و بزودی همهٔ آن ها را از پا درآورد، سر آن ها را برید و به فِتراک[1] اسب خود بست. تا دندان های آن ها را بکَنَد و به بارگاه کیخسرو ببرد و هنرخود را به پهلوانان ایران نشان بدهد.

---

۱. فِتراک: تسمه یا طنابی که برای بستن شکار، به بخش پایانی زین اسب می آویزند.

کمی بعد گرگین به بیشه آمد. آنجا را از پیکر گرازها کبودرنگ دید. به بیژن آفرین گفت. اما در دل از کار خود، شرمنده بود و چون از بدنامی می ترسید، دل به فریب اهریمن داد و به فکر افتاد که آسیبی به بیژن بزند. پس به او گفت:

« من بارها به این سرزمین آمده ام و آن را خوب می شناسم. از اینجا تا توران بیش از دو روز راه نیست. دشتی سبز از گیاهان و زرد از گل ها در آنجاست. منیژه دختر افراسیاب همیشه در این فصلِ سال، در این دشت خیمه می زند و جشنی برپا می کند. دخترانی زیبا با او همراهند،

همه دختِ ترکانِ پوشیده روی　　　همه سرو قدّ و همه مشک بوی

همه رخ پراز گل، همه چشم خواب　　　همه لب پر از می به بوی گلاب

اگر به آنجا برویم، می توانیم چندتن از آن دختران پری چهره را به دست بیاوریم و برای کیخسرو به ایران ببریم. »

بیژن که جوان بود و به دنبال کام و نام، این کار را پسندید.

هردو؛ یکی برای کامجویی و دیگری برای کینه ورزی، به راه افتادند. به نزدیکی دشتی که گرگین گفته بود، رسیدند و به شکار پرداختند. بزودی گرگین خبر آمدن منیژه را به بیژن داد. بیژن که سخت برای دیدن دختر افراسیاب بی تاب بود، به گرگین گفت که کمی زودتر می رود و در جایی پنهان می شود تا ببیند تورانیان جشن را چگونه برگزار می کنند. پس از آن برمی گردد تا فکر بهتری بکنند.

بیژن جامه ای شاهانه پوشید، تاجی زرین بر سرگذاشت و سوار بر اسب خود را به نزدیکی خیمۀ منیژه رساند. در سایۀ درخت سروی ایستاد. از دور منیژه را دید و به او دل باخت. منیژه

نیز از خیمهٔ خود بیژن را دید و به او که چهره ای درخشان همچون ستارهٔ سهیل، کلاه جهان پهلوانی بر سر و جامه ای از دیبای رومی بر تن داشت، دل بست. بی درنگ دایهٔ خود را فرستاد تا از بیژن بپرسد که او کیست و چگونه به آنجا آمده است؟ زیرا هیچگاه، کسی همچون او را در آنجا ندیده است.

پریزاده ای گر[1] سیاوَخشیا ؟ — که دل ها به مهرت همی بخشیا ؟

وُگر خاست اندر جهان رستخیز — که بفروختی آتش مهر تیز[2] ؟

بیژن همینکه پیغام منیژه را شنید، چهره اش همچون گل شکفت. به دایه گفت:

« من نه سیاوُشم نه پریزاده. بیژنم! پسر گیو. برای نابود کردن گرازان از ایران به اِرمان آمدم و آن ها را از میان بردم. شنیدم دختر افراسیاب در اینجا جشنی برپا می کند، آمده ام تا شاید او را ببینم. »

و به دایه وعده داد که اگر او را نزد منیژه ببرد، هدیه های بسیار به او خواهد بخشید. دایه نزد منیژه برگشت، پیغام بیژن را رساند و از زیبایی چهره و آراستگی او سخن ها گفت.

منیژه بی درنگ بیژن را به خیمهٔ خود دعوت کرد. بیژن پیاده، همراه با دایه به سراپردهٔ او رفت. منیژه پیش آمد. او را در آغوش کشید و از رنج راه و جنگ او با گرازان پرسید. خدمتکاران با مشک و گلاب پاهای بیژن را شستند و خوردنی های گوناگون آوردند.

نشستنگه رود و می ساختند — ز بیگانه خانه بپرداختند

آن دو، سه روز بدینگونه گذراندند.

---

۱. گر: اگر: یا

۲. آتش مهر تیز افروختن: عشق را افزون کردن

روزی که منیژه می خواست به کاخ خود برگردد، خدمتکاران به دستور منیژه داروی بیهوشی در جام شراب بیژن ریختند و او را در عَماری[1] منیژه گذاشتند و همگی به طرف شهر به راه افتادند. شب هنگام که به شهر رسیدند، منیژه پوششی روی بیژن کشید و پنهانی او را به کاخ برد.

بزودی بیژن به هوش آمد و خود را در کاخ و درآغوش منیژه دید. سخت از کار خود پشیمان شد و از اینکه با سخنان گرگین به دام اهریمن افتاده بود، خود را سرزنش و او را نفرین کرد.

منیژه بدو گفت:« دل شاد دار ! همه کارِ نابوده را باد دار !
به مردان ز هَر گونه کار آیدا گهی بزم و گه کارزار آیدا

بیژن با سخنان او که آینده را نامعلوم می دانست، آرام شد.

آگاهی یافتن افراسیاب از کار منیژه و بیژن

چندی بعد باغبان پی برد که مردی در کاخ منیژه است و هنگامی که دریافت که او ایرانی است، از جان خود ترسید و چاره ای جز این ندید که به افراسیاب خبر بدهد. افراسیاب با شنیدن سخنان باغبان از خشم به لرزه در آمد. قراخان را که از بزرگان توران بود، خواست و از او چارهٔ کار را پرسید. قراخان گفت که باید نخست کسی را به کاخ منیژه بفرستد تا آنچه را باغبان گفته، به چشم ببینند.

اگر هست خود جای گفتار نیست ولیکن شنیدن چو دیدار نیست

افراسیاب برادرش کرسیوز را به کاخ فرستاد و گفت که اگر مردی بیگانه در آنجا ببیند، بی درنگ او را به بند بکشد.

---

۱. عَماری: کجاوه؛ دو اتاق کوچک چوبی که بر پشت اسب، شتر و مانند آن ها می بستند و هنگام سفر در آن می نشستند.

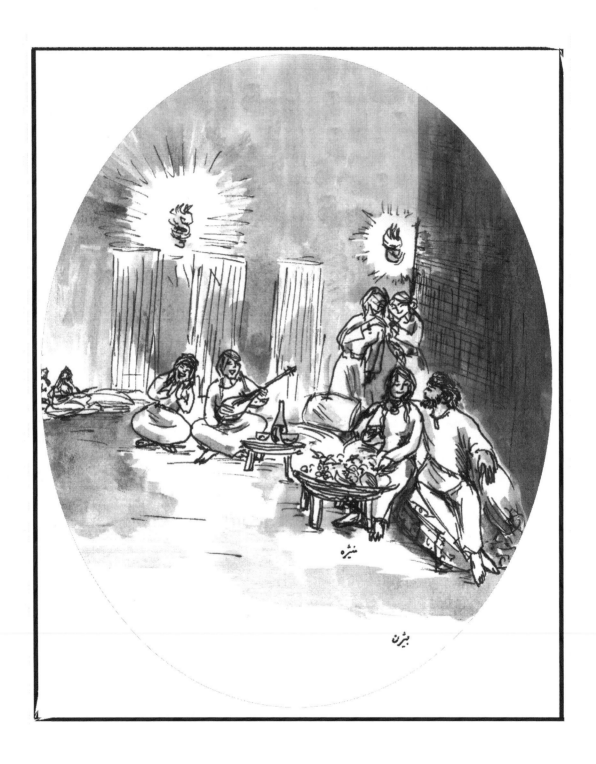

منیژه

بیژن

کرسیوز به آنجا رفت. از بیرون کاخ آوای چنگ و رود و بانگ نوشانوش شنید. فرمان داد سواران گرداگرد کاخ را بگیرند. آنگاه پیش رفت، قفل در را شکست و خود را به داخل تالار انداخت. بیژن را که در بالای تالار نشسته بود، دید و خشمگین به طرف او رفت. بیژن با خود اندیشید که بدون ابزار جنگ چگونه با او رودررو شود؟ به یاد خنجری افتاد که همیشه در ساق چکمهٔ خود نگاه می داشت. آن را بیرون کشید. راه را بر کرسیوز بست و فریاد زد:

« من بیژن از خاندان کَشوادم! مرا خوب می شناسی. می دانی که جنگجویی دلاورم و اگر بخواهم بجنگم، می توانم با همین خنجر بسیاری را از پا در بیاورم. مرا نزد افراسیاب ببر و از او برای من زنهار بخواه تا داستان را آنگونه که پیش آمده برای او بگویم. »

کرسیوز اندیشید که اگر با او از در جنگ دربیاید، خون های بسیاری ریخته خواهد شد. پس با پند و سوگند و نرمی و ملایمت، خنجر را از دست او گرفت و بدون جنگ و جدال او را به بند کشید.

هنگامی که بیژن را دست بسته و ترسان و لرزان نزد افراسیاب بردند، رو به افراسیاب کرد و گفت:

« برای نابود کردن گرازها به اِرمان آمده بودم، باز شکاری ام گم شد، در جست و جوی او به توران رسیدم. خسته بودم. در زیر درخت سروی خوابیدم تا از آفتاب در امان باشم. هنگامی که خواب بودم، پریزادی مرا از آنجا برداشت و در عَماری منیژه که از آنجا می گذشت، گذاشت. منیژه خواب بود و پریزاد افسونی خواند که او تا رسیدن به کاخ بیدار نشود. نه من و نه منیژه در آنچه پیش آمده گناهی نداریم. »

افراسیاب گفت:

« تو برای کشتن من از ایران به اینجا آمده ای. و اکنون که اسیر شده ای، دروغ می گویی. »

بیژن گفت:

« گراز و شیر برای جنگیدن چنگال و دندان دارند و مردان جنگی شمشیر و گرز و تیر و کمان. نمی توان با دست خالی با کسی که سراپا پولاد پوشیده، جنگید. اگر می خواهی دلاوری مرا ببینی، اسب و گرزی سنگین به من بده تا با هزار سوار تورانی بجنگم. اگر یک تن از آنان زنده ماند، مرا مرد مدان! »

افراسیاب نگاهی پر از خشم به او کرد و به کرسیوز گفت:

« این حیله گر به کار بدی که کرده، بسنده نمی کند، می خواهد با من بجنگد و بر من چیره شود! »

و دستور داد تا کرسیوز در جلو دروازهٔ کاخ، داری برپا کند و بیژن را زنده به دار بزنند. تا دیگر هیچ ایرانی یارای نگاه کردن به توران را نداشته باشد.

هنگامی که بیژن را کشان کشان از آنجا می بردند، درمانده و پریشان اشک می ریخت. زیرا دشمن به جای جنگیدن و کشتن، او را با خواری بسیار به دار می کشید؛

به پیش نیاکان خسرو منش پس از مرگ بر من بود سرزنش

روانم بپاید هم ایدر به پای ز شرم پدر چون شود بازِ جای[1]؟

آمدن پیران به بارگاه افراسیاب

دژخیمان جای دار را آماده کرده بودند که بخت با بیژن یاری کرد و پیران از راه رسید. همینکه دانست آن دار برای بیژن برپا شده است، و آنچه را که پیش آمده بود، از زبان خود او شنید، دستور داد که بیژن را همانجا نگاه دارند و شتابان نزد افراسیاب رفت. پیران افراسیاب را درود گفت و ستایش کرد و خاموش در برابر او ایستاد. افراسیاب پی برد که پیران خواهشی دارد و به او گفت که هرچه آرزو دارد، از او بخواهد. پیران گفت که برای خود چیزی نمی خواهد.

1. بازِ جای شدن: به جای خود برگشتن

پیش از این چندبار او را پند داده، اما افراسیاب نپذیرفته است. و به یاد افراسیاب آورد که با کشتن سیاوش، نیمی از سرزمین توران ویران شد. اما هنوز هم شمشیر زال در نیام نرفته است. اگر بیژن کشته شود، کینه ای بر کینهٔ پیشین افزوده خواهد شد، رستم با همان شمشیر سرهای بسیاری از تورانیان را بر خاک خواهد انداخت و خون آن ها را بر خورشید خواهد پاشید. گیو و گودرز نیز بی گمان به خونخواهی فرزندشان خواهند آمد.

پیران با این سخنان آبی بر آتشی که شعله می کشید، ریخت. افراسیاب در پاسخ او گفت:

که بیژن ندانی که با من چه کرد　　　به توران و ایران شدم روی زرد

نبینی کزین بدکنش دخترم　　　چه رسوایی آمد به پیران سرم[1]

با اینهمه پذیرفت که بیژن را نکشد و او را زندانی کند تا ایرانیان عبرت بگیرند.

پس به کرسیوز دستور داد که بیژن را با غل و زنجیرهای سنگین ببندند و او را به چاهی بیندازند. سپس سنگ بسیار بزرگی را که اَکوانِ دیو از قعر دریا بیرون کشیده بود و به سرزمین چین پرتاب کرده بود، به کمک چند پیل نزدیک چاه بیاورند و بر در آن بگذارند، تا بیژن در آنجا جان بدهد. افراسیاب همچنین فرمان داد تا کرسیوز، کاخ منیژه را تاراج کند و او را از آنجا بیرون بکشد.

برهنه کشانش ببر تا به چاه　　　که در چاه بین! آنکه دیدی به گاه[2]

بهارش تویی، غمگسارش تویی　　　بدین تنگ زندان ، زَوارش[3] تویی

کرسیوز آنچنانکه افراسیاب دستور داده بود، بیژن را با زنجیرهای آهنین بست و به چاه انداخت. پس از آن کاخ منیژه را تاراج کرد و او را سر و پا برهنه، کشان کشان بر سر آن چاه برد و گفت:

---

۱. پیران سر: پیرانه سر؛ هنگام پیری

۲. گاه: تخت

۳. زَوار: پرستار و خدمت کننده

« از این پس خاندان و کاخ تو اینجاست و تو تا ابد پرستار و خدمتکار این اسیر خواهی ماند. » منیژه یک شبانه روز پریشان و گریان، گرد آن چاه می گشت. سرانجام سوراخی به اندازهٔ یک دست، در کنار آن سنگ پیدا کرد. از آن پس منیژه آنچه از خوراک و نان از خانه ها به دست می آورد، برای بیژن به چاه می انداخت.

بازگشتن گرگین میلاد به ایران

گرگین یک هفته چشم به راه بیژن ماند و چون از او خبری نشد، به جست و جوی او رفت. سرتاسر بیشه را گشت. سرانجام اسب بیژن را بی زین و بی لگام، در کنار جویباری یافت. دانست که افراسیاب به بیژن آسیبی رسانده است. از اینکه بیژن را فریب داده بود، سخت پشیمان شد. سرانجام به طرف ایران به راه افتاد و اسب بیژن را با خود به ایران برد.

هنگامی که به کیخسرو خبر دادند که گرگین بدون بیژن در راه بازگشت به ایران است، کسی را فرستاد تا گیو را از آمدن او باخبر کند. گیو با دلی دردمند و چشمی اشکبار از خانه بیرون دوید. دستور داد تا اسب او را آماده کنند، سوارشد و در بیرون شهر خود را به گرگین رساند. گرگین با دیدن او پیاده شد، سراسیمه پیش دوید و از او پوزش خواست. گیو با دیدن اسب بیژن گریان و نالان از اسب به زیر افتاد، بر خاک غلتید، موی خود را کند، خاک بر سر ریخت و اشکریزان از گرگین دربارهٔ بیژن پرسید. بیژن گفت:

« هنگامی که به ارمان رسیدیم، به آن بیشه رفتیم. گرازها گیاهان و درختان آن را از میان برده بودند و آنجا را همچون کف دست از همه چیز خالی کرده بودند. آن ها را کشتیم، دندان هایشان

را کندیم و شکارکنان به طرف ایران به راه افتادیم. ناگهان گورخری بسیار زیبا سر راهمان پیدا شد. بیژن کمند خود را پرتاب کرد و سر او را در کمند انداخت،

فکندن همان بود و بردن همان — دوان گور و بیژن پس اندر دمان[1]

ز تازیدن گور و گرد سُوار — بر آمد یکی دود از مرغزار

به کردارِ دریا زمین بردمید[2] — کمند افکن و گور شد ناپدید »

گرگین از جست و جوی خود برای یافتن بیژن گفت و اینکه چون او را نیافته، یقین کرده که آن گورخر دیوی اهریمنی است و ناچار بر آن شده که به ایران برگردد.

اما گرگین با رنگ پریده و لرز لرزان سخن می گفت و گیو به خوبی دریافت که او دروغ می گوید. خشمگین از اینکه تنها فرزند خود را از دست رفته و گرگین را دروغگو می دید، یک لحظه خواست دل به فرمان اهریمن بدهد و او را همانجا از پا دربیاورد. اما اندیشید که با این کار تنها خواستِ اهریمن را برآورده خواهد کرد. پس گرگین را دشنام داد و به او گفت:

« فرزندم را از من گرفته ای و می خواهی با دروغ های خود مرا فریب بدهی. نزد پادشاه خواهم رفت و این همه را به او خواهم گفت. پس از آن کینِ دلبندم را از تو خواهم گرفت. »

گیو نزد کیخسرو رفت و اشکریزان و نالان، از گم شدن پسر جوان خود و از دروغ هایی که از گرگین شنیده بود، گفت و از او دادخواهی کرد.

چو از گیو بشنید خسرو سَخُن — بدو گفت: « مندیش و زاری مکن

که بیژن به جای است، خرسند باش ! — بر اومید گم بوده فرزند باش !

---

۱. دمان: شتابان

۲. بردمیدن: جوشیدن

چرا که پیش از این موبدان به من گفته اند که هنگامی که برای کینخواهی سیاوُش به توران لشکر خواهم کشید، بیژن با من همراه خواهد بود. »

با اینهمه گیو با دلی پر از اندوه و درد از بارگاه کیخسرو رفت.

بزودی گرگین به بارگاه کیخسرو رسید. بزرگان و سرداران همگی برای همدردی با گیو با او رفته بودند و کیخسرو تنها بود. گرگین پیش رفت، زمین را بوسید، شاه را ستایش و دعا کرد و دندان های گرازهایی را که بیژن کشته بود، پیش او گذاشت. کیخسرو از او دربارهٔ بیژن پرسید و چون آنچه شنید، یکسره دروغ بود، خشمگین او را دشنام داد. و گفت که اگر بیم از بدنامی نبود، فرمان می داد تا سر او را از تن جدا کنند.

کیخسرو دستور داد تا زنجیری از آهن بر پای گرگین ببندند و او را زندانی کنند. سپس هزار سوار را برای یافتن بیژن فرستاد و به گیو گفت:

« اگر این سواران، بیژن را نیافتند، نومید مشو. من در آیینی که به فرمان یزدان، در نخستین روزِ فروردین به جا می آورم، در جام گیتی نما که هفت کشور را در آن می بینم، جست و جو خواهم کرد و بیژن را خواهم یافت. »

سوارانی که برای یافتن بیژن رفته بودند، بی آنکه از او نشانه ای بیابند، برگشتند. نوروز فرارسید. گیو بی توش و توان، با پشتی خمیده و دلی پرامید، به دیدار کیخسرو رفت، تا او همچنانکه گفته بود در جام گیتی نما جست و جو کند. کیخسرو نخست به درگاه آفریدگار روآورد و از او یاری خواست. سپس جام پرشراب را که همهٔ ستارگان آسمان و هفت کشورِ روی زمین در آن پیدا بود، به دست گرفت و در آن به جست و جو پرداخت. سرانجام بیژن را

در گرگساران در چاهی زندانی دید و دریافت که منیژه از او پرستاری می کند. پس به گیو مژده داد که بیژن زنده است اما زندانی است. از زندانی بودن او غمگین نباشد، چون دختری نامدار پرستار اوست. و افزود کسی جز رستم نمی تواند او را از آن بند رها کند. و او هم اکنون نامه ای خواهد نوشت تا گیو بی درنگ، برای رستم ببرد و از او برای این کار کمک بخواهد.

نامهٔ کیخسرو به رستم

کیخسرو در نامهٔ خود به رستم، نخست از دلاوری ها و پهلوانی ها و یاری های او به پادشاهان ایران یاد کرد و زور و توان او را ستود:

گشایندهٔ بندِ بسته تویی	کیان را سپهر خجسته تویی
ترا ایزد این زور پیلان که داد	دلِ شیر و فرهنگ و فرخ نژاد،
بدان داد تا دست فریاد خواه	بگیری برآری ز تاریک چاه

آنگاه به آنچه برای بیژن پیش آمده بود، اشاره کرد و نوشت که رستم از جایگاهی که گیو در نزد او و خاندان او دارد، باخبر است و خواهش کرد که به ایران بیاید تا چاره ای برای رهایی بیژن بیابند.

گیو نامه را گرفت و همراه با چند سوار به طرف سیستان به راه افتاد. تمامی راه را دو منزل یکی اسب راند و به زودی به سیستان رسید. دیدبان خبر نزدیک شدن گیو و همراهانش را به زال داد و او به پیشواز آن ها رفت.

آن روز رستم به شکار رفته بود. زال از راه رسیدگان را به کاخ خود برد. گیو از گم شدن بیژن و از نامه ای که برای رستم آورده بود، گفت. هنگامی که رستم از شکارگاه برگشت، شادمان

از دیدن گیو، او را در آغوش کشید. سپس از یک یک بزرگان و سرداران ایران پرسید. همین که نام بیژن را بر زبان آورد، گیو به گریه افتاد، نامۀ کیخسرو را به او داد و او را از آنچه برای بیژن پیش آمده بود، باخبر کرد. دل رستم از آنچه شنید، به درد آمد و به گیو گفت:

« از رخش پیاده نخواهم شد، مگر روزی که به نیروی یزدان، دست بیژن را در دست بگیرم و او را از توران برگردانم. »

و گیو و همراهانش را به کاخ خود برد، تا سه روز مهمان او باشند. روز چهارم همگی همراه با صد سوار زاولی به طرف ایران به راه افتادند. در نزدیکی شهر، گیو پیشاپیش رفت تا مژدۀ آمدن او را به پادشاه بدهد. کیخسرو، شاهزادگان و بزرگان را به پذیرۀ رستم فرستاد.

هنگامی که همگی به بارگاه پادشاه رسیدند، رستم پیش رفت. در برابر کیخسرو خم شد، سپس برخاست و او را دعا کرد. کیخسرو او را با مهربانی پذیرفت. به او خوشامد گفت و از زال و فرامرز و زواره پرسید. آنگاه همگی به باغ رفتند. کیخسرو دستور داد که تخت او را در زیر درختی گل افشان بگذارند و بالای تخت، درختی که تنۀ آن از نقره و شاخه هایش از طلا بود، قرار دهند. درخت میوه هایی به شکلِ بِه و ترنج داشت که درون آن ها را با مشک و مِی پر کرده بودند. هنگامی که باد بر آن درخت می وزید، مشک بر سر و روی او می بارید. کیخسرو رستم را در کنار خود بر آن تخت نشاند و یک بار دیگر از دلاوری های او گفت و از او خواست که برای رها کردن بیژن برود. رستم گفت که این کار را آنگونه که دلخواه و آرزوی کیخسروست، بی کمک مردان دلاور انجام خواهد داد.

پیغام فرستادن گرگین میلاد به رستم

روز بعد، گرگین میلاد کسی را نزد رستم فرستاد و از اینکه گردش آسمان، چراغ خِرَد او را کشته و او در تاریکی بی خردی، بیژن را فریب داده بود، پوزش خواست و خواهش کرد که رستم پیش کیخسرو پایمردی کند[1] که او را ببخشد. تا در این سال های پیری اینگونه بدنام و بدسرانجام نماند. و پیمان کرد که اگر از بند آزاد شود، همراه با رستم برای رها کردن بیژن خواهد رفت، پیشِ پای بیژن به خاک خواهد افتاد و از او پوزش خواهد خواست.

رستم در پاسخ فرستاده گفت که هرگز برای گرگین پایمردی نخواهد کرد. مگر روزی که بیژن از بند رها شده باشد، اما اگر بیژن نجات نیابد، امیدی به جان خود نداشته باشد. چون نخستین کسی که به خونخواهی او خواهد آمد، رستم خواهد بود.

وُ گر من نیایم، نه گودرز و گیو   بخواهد ز تو کینهٔ پورِ نیو[2]؟

با اینهمه رستم سه روز بعد نزد کیخسرو رفت و از او خواهش کرد که گرگین را ببخشد. کیخسرو گفت:

« هرچه آرزو داری می توانی از من بخواهی. اما از من مخواه که پیمان خود را بشکنم. من سوگند خورده ام که گرگین روزی آزاد خواهد شد که بیژن از بند رها شده باشد. »

رستم بار دیگر درخواست خود را تکرار کرد و از یاری هایی که گرگین به دودمان کیخسرو کرده بود، گفت. سرانجام کیخسرو گرگین را به خاطر رستم بخشید و او از بند آزاد شد.

---

۱. پایمردی کردن: شفاعت کردن

۲. نیو: دلیر

کیخسرو از رستم پرسید که برای آن جنگ به چه چیزهایی نیاز دارد. رستم در پاسخ او گفت که این بار چارهٔ کار، جنگیدن نیست. می خواهد در جامهٔ بازرگانان به توران برود و افراسیاب را فریب بدهد. از این رو باید گوهر و سیم و زر فراوان و گستردنی ها و پوشیدنی های بسیار با خود داشته باشد. کیخسرو دستور داد تا آنچه زر و سیم و گوهر و دیبا در خزانه بود، آوردند تا رستم هر چه می خواهد، بردارد. پس از آن رستم دستور داد تا هزار سوار برگزیده آماده شوند و از هفت پهلوان دلاور ایران؛ گرگین، زنگهٔ شاوران، گُستَهَم، گُرازه، فرهاد، رُهّام، و اشکش خواست که او را همراهی کنند.

رفتن رستم با هفت پهلوان به ترکستان

صبحگاه، رستم و هفت پهلوان در پیش و هزار سپاهی جنگجو در دنبال به طرف توران به راه افتادند. در نزدیکی مرز توران، رستم به سپاهیان گفت که در همانجا بمانند و برای جنگیدن آماده باشند. و خود با هفت پهلوان در جامهٔ بازرگانان به آن سوی مرز رفت. بزودی به شهر ختن رسیدند. در میدان شهر فرود آمدند. در این هنگام پیران در راه برگشت از شکارگاه از میدان گذشت. رستم پیش رفت و دو اسب گرانبها و جامی پر از گوهر به او هدیه داد. پیران که رستم را نشناخته بود، از او پرسید که از کجا آمده است و چه کاره است؟ رستم در پاسخ گفت که از ایران آمده و بازرگان است. و از او خواهش کرد که اجازه دهد در آن شهر داد و ستد کند. پیران گفت که کسی با او کاری نخواهد داشت و او می تواند درخانهٔ فرزندِ پیران زندگی کند. رستم سپاسگزاری کرد و گفت که خانه ای خواهد گرفت و همانجا خواهد ماند، چون باید از کالاهای گرانبهایی که با خود دارد، مواظبت کند.

آمدن منیژه نزد رستم

بزودی خبر آمدن بازرگانی از ایران به گوش منیژه رسید. بی درنگ خود را به شهر رساند. با چشم های اشکبار نزد رستم رفت. نخست او را دعا کرد. سپس از ایران و از پادشاه و از دلیران ایران پرسید و اینکه آیا خبر اسیر شدن بیژن به ایران رسیده بود؟ آیا گیو و گودرز چاره ای برای رهایی او اندیشیده بودند؟ کسی می دانست که جوانی از خاندان گودرز در آنجا به زنجیر کشیده شده و کمرش در زیر بار سختی ها شکسته است؟ آنگاه از رنج هایی که خود او به خاطر بیژن می کشید، شکوه کرد. رستم از بیم آنکه شناخته شود، پرخاش کنان او را از خود راند و گفت:

« من نه پادشاهی می شناسم نه هیچ سالار و سرداری. »

منیژه از رفتار او به گریه افتاد.

چنین گفت کای مهتر پر خِرَد — ز تو سرد گفتن نه اندر خورَد[1]

سخن گر نگویی، مرانم ز خویش — که من خود دلی دارم از درد ریش

چنین باشد آیین ایران مگر — که درویش را کس نگوید خبر؟

رستم همچنان با خشم به او گفت:

« گمان می کنم که شیطان ترا فرستاده تا مرا از داد و ستد باز داری. من در آن شهر که کیخسرو هست، زندگی نمی کنم. هرگز به آنجا نرفته ام و گیو و گودرز را نمی شناسم. »

پس دستور داد تا خوردنی هایی برای منیژه آوردند و از او پرسید که چرا از ایران و پادشاه ایران و پهلوانان ایرانی می پرسد. منیژه گفت:

---

۱. اندر خوردن: شایسته بودن ؛ روا بودن

منیژه منم دخت افراسیاب		برهنه ندیدی مرا آفتاب
کنون دیده پر خون و دل پر ز درد		ازین در بدان در دو رخساره زرد،
همی نان کشکین[1] فراز آورم		چنین گاشت[2] یزدان جهان بر سرم

و بار دیگر از بیژن گفت که با غل و زنجیر، در چاهی ژرف اسیر است و غم او دردی بر دردهایش افزوده است و از رستم خواهش کرد که هنگامی که به ایران برگشت، به شهری که کیخسرو در آنجاست، برود، شاید بتواند گیو و گودرز یا رستم را بیاید و به آن ها بگوید که هرچه زودتر برای رها کردن بیژن بیایند.

رستم که دلش برای منیژه سوخته بود، پرسید چرا کسی را نزد پدرش نمی فرستد تا از افراسیاب بخواهد که او را ببخشد. و گفت که از افراسیاب بیم دارد، وگرنه به او کمک بیشتری می کرد. آنگاه دستور داد که برای منیژه خوردنی های بسیار بیاورند تا با خود ببرد. و با چابکی بسیار انگشتری خود را در مرغ بریانی که در نانی نرم پیچیده بودند، پنهان کرد و به منیژه داد.

منیژه دوان دوان با سفره ای که خوردنی ها در آن بود، بر سر چاه رفت. و آن ها را در چاه انداخت. بیژن، شگفت زده، پرسید که خوردنی هارا از کجا به دست آورده است و منیژه از آن بازرگان ایرانی گفت که آن ها را به او داده بود و گفته بود که می تواند باز هم برود و از او خوردنی بگیرد. بیژن با بیم و امید نان را باز کرد. سرانجام شک و دودلی را کنار گذاشت، دست پیش برد تا از آن بخورد ، انگشتر را دید و نام رستم را که بر نگین آن کنده شده بود، خواند و دانست راهی برای رهایی او پیدا شده است. از شگفتی و شادی با صدای بلند خندید.

---

۱. نان کشکین: نانی که از آرد جو و گندم و باقلا می پختند.
۲. گاشتن: برگرداندن

منیژه صدای خندهٔ او را شنید و با خود گفت که بی گمان بیژن در تنهایی قعر چاه، دیوانه شده است. از او پرسید که به چه می خندد. بیژن پاسخ داد:

« راه امیدی برای نجاتم پیدا شده. می دانم که زنان راز نگه دار نیستند. اما اگر سوگند بخوری که این راز را به کسی نخواهی گفت، آن را به تو می گویم. »

منیژه با خشم و خروش گفت:

« به خاطر تو همهٔ آنچه را که داشتم از دست دادم، پدرم و خویشانم را از خود بیزار کردم. روزگارم سیاه و چشمانم سپید شد. اما تو راز خود را از من پنهان می کنی. »

بیژن پشیمان از گفتهٔ خود، از او پوزش خواست و گفت:

« به سبب رنج هایی که کشیده ام، خِرَد خود را از دست داده ام. اما آفریدگار بزودی مرا از این چاه و ترا از این درد و رنج و تکاپو رهایی خواهد داد. آن بازرگان برای نجات من به توران آمده، نزد او برو و از او بپرس که آیا او «خداوندِ رخش » است؟ »

منیژه همچون باد خود را به رستم رساند و پیغام بیژن را به او گفت. رستم دانست که بیژن راز او را فاش کرده است. پس به او گفت که به بیژن بگوید که آفریدگار « خداوند رخش » را به خاطر او و از زاوُل به ایران و از ایران به توران فرستاده است. و از منیژه خواست که در نزدیکی چاه، هیزم فراوان گرد آورَد و شب هنگام آن را آتش بزند تا او بتواند به کمک روشنایی آن به طرف چاه برود.

منیژه دوان دوان به سر چاه برگشت و خبرها را به بیژن داد. آنگاه با شتابِ بسیار پشته ای هیزم فراهم آورد. در کنار هیزم ها نشست و منتظر فرو رفتن خورشید و فرارسیدن شب ماند. هنگامی که جهان از تکاپو بازماند و شب در برابر روز لشکرکشید،

منیژه سبک آتشی برفروخت   که چشمِ شب قیرگون را بدوخت[1]
به دلش اندرون بانگ رویینه خُم[2]   که آید زِ رَه رخشِ پولاد سم

رفتن رستم به چاه بیژن

شب هنگام رستم جامهٔ جنگ پوشید. نخست از آفریدگار خواست به او زور و توانایی ببخشد. سپس به پهلوانان گفت که آن ها نیز با جامه و ابزار جنگ با او همراه شوند. همگی به طرف چاه به راه افتادند. هنگامی که به آنجا رسیدند، رستم به پهلوانان گفت که پیاده شوند و سنگ اکوان دیو را از سر چاه بردارند. هر هفت پهلوان تلاش بسیار کردند، اما سنگ جا به جا نشد. ناچار خسته و درمانده کنار رفتند. رستم از رخش پیاده شد. از آفریدگار یاد کرد، دست پیش برد، سنگ را با یک حرکت، از سر چاه برداشت و آن را به بیشهٔ شیر چین پرتاب کرد. سنگ بر زمین خورد و زمین به لرزه در آمد.

رستم از سرِ چاه حال بیژن را پرسید. و او پاسخ داد:

« همینکه صدای ترا شنیدم، تلخی های جهان بر من شیرین شد. »

رستم از بیژن خواست که همان گونه که خداوند به او جان دوباره بخشید، او نیز گرگینِ میلاد را ببخشد. بیژن که از فریبکاری گرگین سخت خشمناک بود، به این کار دل نمی داد. رستم گفت که اگر چنین نکند، او را در قعر چاه رها خواهد کرد و به ایران باز خواهد گشت. بیژن سخن رستم را پذیرفت و او بی درنگ کمند خود را به چاه انداخت و بیژن را با رخسار زرد و تن خونین و مو و ناخن های دراز از آنجا بیرون کشید. زنجیرها را از دست و پای او باز کردند

---

۱. دوختن: خیره کردن

۲. رویینه خُم: کوس و طبل بزرگ از جنس روی

و همگی همراه با منیژه به جایگاه رستم برگشتند. بیژن سر و تن خود را شست. جامه ای شایسته پوشید. آنگاه گرگین نزد او آمد و پوزش خواست.

دل بیژن از کینش آمد به راه　　　مکافات ناورد پیش ِ گناه

آن شب، رستم و همراهانش آنچه داشتند بر پشت شترها بستند تا اشکش آن ها را به آن سوی مرز توران برساند و به بیژن و منیژه گفت که آن ها نیز با اشکش همراه شوند. چرا که رستم در پی آن بود که شب هنگام، پیش از رفتن از توران همراه با پهلوانان بر افراسیاب شبیخون بزند. بیژن نپذیرفت و گفت که می خواهد پیشاپیش همه به جنگ افراسیاب برود.

شبیخون زدن رستم و بیژن

نیمه شب، رستم و هفت پهلوان به کاخ افراسیاب حمله کردند. نگهبانان با آن ها رودررو شدند. در تاریکی شب شمشیرها درخشید و بارانی از تیر درگرفت.

ز دهلیز[1] او رستم آواز داد　　　که خواب تو خوش باد و گُردانت شاد!

منم رستم زاوُلی پور زال　　　نه هنگام خواب است و گاه نَهال[2]

شکستم همه بند و زندان تو　　　که سنگ گران بُد نگهبان تو

رها شد سر و پای بیژن ز بند　　　به داماد بر کس نسازد گزند

بیژن نیز فریاد زد:

« دست و پای مرا بستی تا بتوانی با من بجنگی. من اکنون آزادم و آمادهٔ جنگ! »

---

۱. دهلیز: دالان

۲. نهال: بستر

افراسیاب سراسیمه فرمان داد تا سواران او راه را بر رستم و یارانش ببندند. جنگ درگرفت. از مردان افراسیاب هرکه پیش آمد، کشته شد. افراسیاب به ناچار از آنجا گریخت. رستم و یارانش به کاخ رفتند و آنچه در آنجا بود، با خود بردند. و یکسره تاختند تا در آن سوی مرز به سپاهیان ایران بپیوندند. رستم پیشاپیش کسی را فرستاد تا به آن ها خبر بدهد که برای جنگ آماده باشند. زیرا می دانست افراسیاب بزودی به جنگ آن ها خواهد رفت.

هنگامی که رستم و همراهانش خسته و پیروزمند، به سپاهیان ایران رسیدند، منیژه را دیدند که آراسته و آسوده در خیمه گاهی نشسته و خدمتکاری پیش روی او ایستاده است.

یکی داستان زد[1] تَهَمتَن[2] بر اوی   که گر مِی بریزد، نریزدش بوی[3]

جنگ رستم با افراسیاب

سحرگاه روز بعد، سواران توران، آمادهٔ جنگ به بارگاه افراسیاب رفتند و گفتند که باید به ننگی که بیژن بر نام افراسیاب نهاده است، پایان داد. افراسیاب فرمان جنگ داد و سپاه توران همچون دریایی پرخروش به جنب و جوش درآمد. همینکه دیدبان خبر نزدیک شدن آن ها را داد، رستم شترهایی را که بار آن ها کالاهای گرانبها بود، همراه با منیژه به ایران فرستاد. اشکش و گُستَهم در سمت راست، فرهاد و زنگه در سمت چپ، رستم و بیژن درمیانهٔ سپاه، رودرروی سپاه توران صف کشیدند. نخست رستم پیش رفت و رو به افراسیاب فریاد زد:

بر این دشت و هامون تو از دست من   رهایی نیابی به جان و به تن

---

۱. داستان زدن: مَثَل زدن

۲. تهمتن: لقب رستم

۳. که گر می بریزد ... : کنایه از این که اصل و نسب از میان نمی رود.

افراسیاب با شنیدن سخنان رستم، به سپاهیان خود فرمان حمله داد. جنگی سخت درگرفت. سرهای سواران توران همچون برگ درخت فرو ریخت و درفش های آن ها سرنگون شد. بزودی سمت چپ سپاهیان توران درهم شکست. افراسیاب که بیشتر سواران خود را کشته دید، دست از جنگ کشید، بر اسب تازه نفسی نشست و از میدان گریخت. ایرانیان هزار سوار تورانی را به بند کشیدند.

رستم آنچه را از تورانیان برجای مانده بود، میان سپاهیان بخش کرد و شادان و پیروز به طرف ایران به راه افتاد.

بازگشت رستم با بیژن از توران

همینکه به کیخسرو خبر رسید که بیژن از زندان افراسیاب رهایی یافته و رستم، سپاه افراسیاب را درهم شکسته و پیروزمندانه در راه بازگشت به ایران است، آفریدگار را سپاس گفت. و گودرز و گیو را که شادمان به بارگاه او رفته بودند، همراه با بزرگان ایران به پیشوازاو فرستاد. آن ها همینکه رستم نزدیک شد، از اسب ها پیاده شدند، او را سپاس گفتند و دعا کردند و همگی به طرف شهر به راه افتادند. کیخسرو در نزدیکی شهر به دیدار آن ها آمد. رستم از اسب پیاده شد. کیخسرو او را در آغوش کشید و او را بیخ[1] مردانگی و کانِ هنر و در نیکی کردن همتای خورشید خواند.

رستم دست بیژن را گرفت و آنگونه که پیمان کرده بود، در دست کیخسرو و گیو گذاشت.

برو آفرین کرد خسرو به مهر — که جاوید بادا به کامت سپهر !

سرت سبز باد و دلت شادمان ! — که بی تو نخواهیم هرگز جهان

---

۱. بیخ: ریشه ؛ به مجاز: اصل و اساس

فَری[1] شهر ایران و فرخ گوان[2] — که دارند چون تو یکی پهلوان

کیخسرو آن شب پهلوانان را به بزم دعوت کرد.

بامداد روز بعد رستم از کیخسرو اجازۀ بازگشت خواست. کیخسرو هدیه های بسیار گرانبها به او و دیگر پهلوانان بخشید و رستم به سیستان بازگشت.

پس از آن کیخسرو بیژن را خواست تا آنچه را در توران بر او گذشته بود، بشنود. بیژن از رنج های خود در چاه و پرستاری های منیژه از او، سخن ها گفت. کیخسرو هدیه های بسیار از تاج و پوشیدنی های به گوهرآراسته و گستردنی های گرانبها به بیژن داد تا برای منیژه ببرد.

به بیژن بفرمود کاین خواسته[3] — ببر سوی تُرکِ روان کاسته[4]

به رنجَش مفَرسای و سردَش مگوی — نگر[5] تا چه آوردی او را به روی

تو با او جهان را به شادی گذار — نگه کن[6] بدین گردش روزگار

(پایان جلد سوم)

---

۱. فَری: هنگام تشویق و ستایش به کار می رود.

۲. گوَ و گُو: دلاور؛ پهلوان

۳. خواسته: مال و ثروت

۴. روان کاسته: رنج دیده

۵. نگریستن: اندیشیدن؛ تأمل کردن

۶. نگه کردن: دیدن و عبرت گرفتن

جلد اول داستان های شاهنامه را نیز پیشنهاد می کنیم.

Stories of Shahnameh (vol. 1)
Meimanat Mirsadeghi (Zolghadr)

ISBN: 978-1939099549

جلد دوم داستان های شاهنامه را نیز پیشنهاد می کنیم.

Stories of Shahnameh (vol. 2)
Meimanat Mirsadeghi (Zolghadr)

ISBN: 978-1939099570

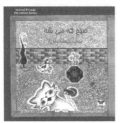
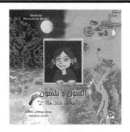
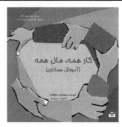
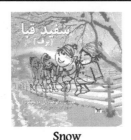
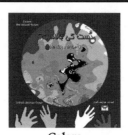
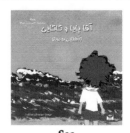
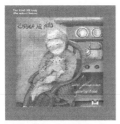
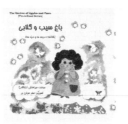
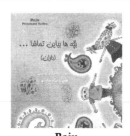

From Antiquity
to Eternity

از دیر تا همیشه

برگزیده شعر فارسی
از قدیم ترین دوران تا
مشروطیت

مقدمه، انتخاب و معرفی
شاعران:
میمنت میرصادقی (ذوالقدر)
ISBN-13: 978-1939099518

With The Sunrise Poets

با صبح دمان

برگزیده شعر فارسی معاصر
از مشروطیت تا انقلاب

مقدمه، انتخاب و معرفی
شاعران:
میمنت میرصادقی (ذوالقدر)

ISBN-13: 978-
1939099303

Once Upon A Time

روزی، روزگاری ...

(هفت قصه ی عامیانه ی فارسی)

میمنت میرصادقی (ذوالقدر)

ISBN-13: 978-1939099228

My New World

دنیای تازه ی من

میمنت میرصادقی (ذوالقدر)

ISBN-13: 978-1939099136

Flying On A Winter Day

پرواز در یک روز زمستانی

میمنت میرصادقی (ذوالقدر)

ISBN-13: 978-1939099327

Nana Falls Asleep Again!

باز هم خاله پیرزن خواب موند!

میمنت میرصادقی (ذوالقدر)

ISBN-13: 978-1939099266

برای آشنایی با سایر کتاب های «نشر بهار» از وب سایت این انتشارات دیدن فرمائید.

To learn more about the other publications of Bahar Books
please visit the website.

Bahar Books

www.baharbooks.com